EM FRENTE, MARCHE?
E OUTROS CONTOS

ÉDIVON JR.

EM FRENTE, MARCHE?
E OUTROS CONTOS

EDITORA
Labrador

Copyright © 2021 de Édivon Jr.
Todos os direitos desta edição reservados à Editora Labrador.

Coordenação editorial
Pamela Oliveira

Projeto gráfico, diagramação e capa
Felipe Rosa

Assistência editorial
Gabriela Castro

Preparação de texto
Renata Mello

Revisão
Isabel Silva

Imagens de capa
Freepik.com
Istock.com - Janine Lamontagne

Dados Internacionais de Catalogação na Publicação (CIP)
Angélica Ilacqua – CRB-8/7057

Édivon Jr.
 Em frente, marche? e outros contos / Édivon Jr. – São Paulo : Labrador, 2021.
 96 p.

ISBN 978-65-5625-093-9

1. Contos brasileiros I. Título

20-4246   CDD B869.8

Índice para catálogo sistemático:
1. Contos brasileiros

EDITORA Labrador

Editora Labrador
Diretor editorial: Daniel Pinsky
Rua Dr. José Elias, 520 – Alto da Lapa
05083-030 – São Paulo – SP
+55 (11) 3641-7446
contato@editoralabrador.com.br
www.editoralabrador.com.br
facebook.com/editoralabrador
instagram.com/editoralabrador

A reprodução de qualquer parte desta obra é ilegal e configura uma apropriação indevida dos direitos intelectuais e patrimoniais do autor.

A editora não é responsável pelo conteúdo deste livro.
O autor conhece os fatos narrados, pelos quais é responsável, assim como se responsabiliza pelos juízos emitidos.

Para minha mãe, Cidinha, que durante a minha infância me cobria com as mais diferentes histórias ao me colocar para dormir.

Para meus filhos, Tomás e Laura, com quem eu mantive essa tradição.

Para Marco Antônio La Femina, amigo desde os bancos escolares da adolescência e parceiro permanente das conversas sobre literatura, minha gratidão pela disposição em ler e conversar comigo sobre os meus textos.

SUMÁRIO

A GOTEIRA **9**
A PORTA ABERTA **19**
EM FRENTE, MARCHE? **29**
NAS ENTRANHAS DAS PERNAS **51**
O CANTO DA REDE **64**
O BEIJO PARTIDO **79**

A GOTEIRA

As luzes dos grandes lustres que pendiam do teto começaram a piscar. Já conhecia aquele sinal. Às vezes se iludia, imaginando que sua mãe iria irromper porta adentro, quebrando todo aquele compulsório silêncio com um beijo estalado em sua bochecha como sempre fazia antes de dormir, logo após seu pai, de cenho fechado, piscar rapidamente a luz do quarto três vezes, avisando-lhe que era a hora de ir para a cama.

Mas agora era apenas o alerta de que dentro de quinze minutos a biblioteca iria cerrar as suas portas.

Ultimamente aquele era o momento do dia que mais o afligia, quando as luzes da biblioteca, como uma pessoa que luta contra um cacoete nos olhos que não consegue vencer, apagavam e acendiam por três vezes seguidas, dando-lhe apenas míseros quinze minutos de trégua.

Essa era a sua rotina no último mês. Com os seguidos cortes realizados pelo governo no setor da educação do país, perdera a sua bolsa de estudos e não conseguiria mais frequentar a faculdade.

De início, quando começaram os primeiros boatos de cortes na ajuda de custo estudantil, sua personalidade otimista não deixou que o tema tivesse espaço dentro de si. Mas quando passaram de meras conversas de corredores a especulações sérias em jornais, o assunto começou a preocupá-lo – ainda assim nunca achou que a medida pudesse se concretizar rapidamente. Então, quando poucos meses depois recebeu a notícia de que sua bolsa de estudos fora cancelada, sentiu como se um membro de seu corpo tivesse sido amputado.

Transcorrido quase um mês desde que recebera a carta timbrada da faculdade comunicando a decisão, o hábito o trapaceava e por vezes ainda se arrumava para ir à aula, sentindo aquela excitação de aprender coisas novas, desvendar mundos ainda ignorados, sorver outras ideias e envolver--se em debates acadêmicos. O corpo ainda sentia fisgar o membro extirpado.

E a angústia aumentava ainda mais à medida que a luz tornava a piscar a cada cinco minutos, pois sabia que teria de regressar ao quarto em que morava. Qualquer motivo ou pretexto, ora real, ora por ele próprio criado, lhe servia para adiar o retorno à casa.

Mas naquela noite não havia desculpas ou compromissos para ampará-lo, e sua imaginação estava fatigada demais para salvá-lo. Sabia que, fechada a biblioteca, o seu quarto era o seu destino.

Não desejava encontrar a proprietária. Não porque estivesse devendo o último mês de aluguel – isso já acontecera outras vezes e ele percebera que ela experimentava grande prazer com a sua inadimplência.

Essas ocasiões serviam para que ela se aproximasse dele, travasse longas conversas, visitasse o seu passado, sondasse os seus problemas, perscrutasse as suas fragilidades e os seus medos para assim ingressar em sua intimidade até arrastá-lo para a cama e, claro, dar-lhe grande prazer, mas, em contrapartida, usá-lo como um brinquedo.

Desde a última vez que fizeram sexo, ele passara a evitá-la. Naquela oportunidade, ela lhe pediu que a amarrasse os pulsos e a açoitasse com o cinto do marido. De início, negou-se peremptoriamente a fazê-lo, mas ela se mostrou bastante incisiva e, sobretudo, persuasiva. Lembrou-o com voz firme de sua dívida e exigiu ser surrada enquanto ele a penetrava.

O interior da casa em que mantinha o quarto alugado não era muito grande e várias foram as vezes em que escutou a proprietária ser agredida pelo marido, que não a poupava de pesados xingamentos enquanto lhe batia. Escutava os seus gritos, o choro alto e depois apenas soluços entrecortados por ameaças que ela proferia de que iria embora qualquer dia desses, quando o marido menos esperasse.

E, por quase nunca dormir fora de casa, pelo fato de o cômodo do casal e o dele serem próximos, as paredes, finas, e, principalmente, em virtude de os proprietários pouco se importarem se havia alguém por perto no momento de suas brigas, podia ouvir tudo. Não suportava mais escutar aquelas discussões, aquelas surras. Cobria os ouvidos com o travesseiro e o comprimia com força contra a cabeça, chegando a entrelaçá-lo com os braços, mas ainda assim o som adentrava até o seu cérebro.

Não obstante essas contundentes lembranças, não teve outra escolha. Colocou-a de quatro e a penetrou de uma só vez e, enquanto entrava e saía de dentro dela, atingia-lhe as nádegas e as costas com cintadas a princípio suaves, mas, à medida que o sexo progredia e as estocadas e os gemidos aumentavam, aplicava-lhe violentas vergastadas que faziam a sua pele ficar imediatamente vermelha.

Em meio a urros e gritos, em menos de dez minutos, ambos gozaram e caíram lado a lado na cama.

Como se o funcionário da biblioteca o estivesse espiando em seu quarto naquele momento, deu um pulo da cadeira quando sentiu uma mão tocar o seu ombro e dizer-lhe próximo ao seu ouvido:

— Desculpa, mas a biblioteca está fechando. O senhor precisa se retirar.

* * *

Na rua, apesar de o céu de chumbo anunciar uma iminente tempestade, retardou ao máximo o passo.

Mas de pouco adiantou, pois logo estava defronte à casa em que morava.

Parou do outro lado da calçada, recostou-se no poste de iluminação e permaneceu encarando-a como uma criança que olha a escola no seu primeiro dia de aula. Vista de fora, ela era grande, imponente, com várias janelas e quartos, porém um pouco abandonada, deixada à própria sorte e às intempéries do tempo. Pintura apagada e gasta, algumas rachaduras visíveis nas paredes e o telhado com algumas telhas soltas e coberto de folhas caídas de árvores que se erguiam do quintal.

Nesse instante, viu a luz da frente se acender e vislumbrou a proprietária sair à rua com dois sacos de lixo nas mãos. Apressou-se e conseguiu esconderijo atrás do poste em que estava encostado.

Talvez ela tivesse sentido a presença de alguém, talvez fosse apenas o hábito ou mesmo o instinto de preservação que está presente em todas as pessoas que abrem a porta de casa e saem à rua nos dias de hoje, mas assim que ela colocou os pés na calçada, olhou a sua volta, esquadrinhou toda a via e, por fim, pousou o seu olhar sobre o poste de luz da calçada oposta.

Ele, por sua vez, gelou. Seguramente, ela o vira. O seu coração deixou de bater e da testa escorregou-lhe uma gota de suor. Se ela desse um único passo em direção ao asfalto, sairia correndo em desabalada carreira. Porém, felizmente, a visão dela ainda não era capaz de enxergar através do poste de concreto que ele usava de esconderijo, pois ela apenas pousou os dois sacos de lixo junto ao meio-fio, deu meia-volta e regressou para o interior de sua casa.

Imóvel, esperou a luz da entrada se apagar e a sua respiração recuperar a cadência normal, após o que finalmente saiu de trás do poste. Mais alguns minutos e, com cautela, abriu a porta lateral da casa e conseguiu chegar com segurança a seu quarto.

Estava exatamente como o deixara. A cama feita, alguns livros na cabeceira e os seus chinelos postados paralelamente, um ao lado do outro, ao pé da cama.

Evitando chamar a atenção de sua chegada, decidiu que não tomaria banho naquela noite. Tirou a roupa suada e se deitou apenas de cueca, deixando escapar um gemido de prazer quando o seu corpo encontrou o colchão macio, cobrindo-se a seguir com o lençol limpo.

Fechou os olhos e, após alguns minutos, começou finalmente a relaxar, sentindo um formigamento suave e contínuo subir-lhe pelas extremidades. O sono chegara e estava prestes a engoli-lo, quando primeiro sentiu e depois escutou a maçaneta do quarto sendo girada e forçada. Em vão, contudo. Por precaução, virara duas vezes a chave quando entrara, além de também ter passado o trinco que havia na parte superior da porta.

Não satisfeito, o intruso passou a bater insistentemente. Uma, duas, três vezes...

Encolheu-se sob o lençol e pôs o travesseiro sobre a cabeça, mas não o suficiente para impedi-lo de ouvir a voz da proprietária, que soava como se estivesse ao lado de seu ouvido:

— Abre, vai. Abre, eu sei que você está aí. Não tenha medo. Hoje é o dia que ele sai para a jogatina. Não seja bobo – disse em alto e bom som, mas com uma voz suave.

Passado algum tempo, voltou à carga e prosseguiu — Abre ou eu derrubo essa merda! – ordenou agora com uma voz firme e potente.

Surpreendeu-se ao perceber que o seu corpo fazia força para se levantar rumo à porta e suas mãos abandonavam o travesseiro que pressionava contra a cabeça, mas imediatamente as grudou na madeira que guarnecia a cama, nela fincando as unhas, evitando assim que se colocasse de pé e cedesse de início àquelas doces súplicas e, posteriormente, àquelas ordens exaradas por uma voz rouca e quente.

Permaneceu nessa posição por alguns minutos, ao fim dos quais a senhoria, com medo de acordar os outros hóspedes, voltou a si e parou de esmurrar a porta e chamá-lo, batendo em retirada.

Mas lá continuava ele, ofegante e empapado de suor, novamente sozinho com seu pavor.

Recordou-se então de uma técnica de respiração que aprendera com uma ex-namorada, a quem conhecera meses depois de sair da casa dos pais e vir morar nesta cidade que desde o início o deixara surpreso e assustado por nunca conseguir enxergar o seu fim.

E, antes mesmo de coordenar o seu pensamento e seus movimentos, viu-se aspirando o ar pausada e tranquilamente, contando em sua mente de um até cinco entre uma lufada e outra de oxigênio, que preenchia os seus pulmões e seguia até o seu cérebro, espalhando-se depois para cada extremidade de seu corpo, enchendo-lhe de paz como uma dose natural de morfina.

Contudo, relaxou tanto que deixou o seu pensamento desgarrar e tomar à sua revelia um atalho próprio, refletindo, como se houvesse dentro de si um projetor que irradiasse um filme para uma tela de cinema que havia atrás de seus olhos, imagens de sua rotina diária: viu-se acordando cedo e tomando o café com pão e manteiga na padaria simples do bairro, para em seguida pegar o ônibus quase nunca vazio e ir para o trabalho; observou-se gentil servindo as pessoas e engolindo em seco a rispidez de muitas; enfim pôde constatar que já saíra à rua, agora despido do uniforme branco, caminhado algumas quadras até parar na praça em frente à biblioteca com uma fruta nas mãos; viu-se ingressar e permanecer nela, sentado horas a fio, sempre longe da solidão e em boa companhia; percebeu então as luzes da biblioteca piscarem, só que de um ângulo superior, como se seus olhos fossem as próprias lâmpadas e vissem o topo de sua cabeça lá embaixo, como um pequeno inseto, sumindo e reaparecendo a cada movimento da pálpebra e, quando isso acontecia, sabia que era hora de regressar. Estranho não ter acompanhado o trajeto até seu quarto, mas uma vez em seu interior, sabia que era o momento de dormir.

E era isso que estava prestes a fazer. O filme de sua vida não mais se descortinava dentro de sua cabeça e o sono já o abraçara quase que por inteiro.

A chuva que o ameaçara na rua enfim começou a cair forte, e o telhado surrado da casa deixou as águas encontrarem um caminho por entre ele.

Então, quando imagens embaralhadas e absolutamente distintas entre si passeavam por sua mente e o inconsciente começava a emergir e disparar o seu primeiro sonho, um som surdo e seco de uma gota de água batendo no chão o fez abrir os olhos no mesmo instante.

Passeou rapidamente o olhar pelo teto, como um animal à procura de sua presa, e estacou a sua visão sobre a portinhola que dava acesso ao forro, de onde surgia uma fenda pela qual a gota de água se enchia até não mais suportar o próprio peso e, aliviada, mergulhar ao solo produzindo aquele ruído.

Tentou, em vão, ignorar a goteira comprimindo os olhos com força, porém aquela gota invadia os seus ouvidos, feria os seus tímpanos e soava como uma campainha fina e aguda.

Virou-se na cama, testou outras posições, cobriu o corpo todo, inclusive a cabeça, e chegou até a cobri-la com o travesseiro. Entretanto, o som já se instalara dentro de si e não o deixava mais em paz, embotando a sua mente e lhe roubando definitivamente o sono.

Em um ímpeto de fúria, saltou da cama, puxou a escrivaninha encostada na parede para o meio do quarto, sobre ela colocou uma cadeira e, mentalmente, tal qual um trapezista, calculou se conseguiria alcançar a passagem que dava acesso ao cômodo superior.

Com efeito, sua leitura da situação estava correta. Subiu na cadeira, equilibrou-se e, com as mãos, abriu a escotilha por meio da qual se atingia o forro.

Segurou nas bordas daquela pequena passagem e, com ambas as mãos, impulsionou o seu corpo para dentro dele.

Uma vez em seu interior, esperou os seus olhos acostumarem-se à escuridão e, quando sua visão se adaptou àquele breu, tornando-se não mais que uma simples penumbra, atacou as telhas e foi arrancando uma a uma, depositando-as cuidadosamente no chão.

Quando parou para respirar, já havia retirado mais de uma dezena, e agora a chuva grossa caía-lhe duramente no rosto.

Satisfeito, abandonou as telhas onde as tinha colocado e rapidamente desceu para o quarto, posto que seus pés e mãos já sabiam onde deviam se apoiar.

Em pé no chão do quarto, devolveu a escrivaninha e a cadeira para os seus respectivos lugares. Voltou para debaixo da portinhola do forro, que deixara propositalmente aberta e através da qual admirou a grande abertura que escancarara no telhado, bem como as fortes gotas de chuva que a atravessavam sem a menor cerimônia, atingindo-lhe o rosto e limpando-lhe todo o corpo.

Não teve dúvidas. Foi até a cama e, sem se importar com o barulho que faria, a arrastou até o centro do quarto, exatamente sob a abertura que dava acesso ao telhado.

Nela, ele novamente se deitou, só que dessa vez despiu--se da cueca e não se cobriu. Permaneceu ali estirado, nu, com as costas no colchão e o corpo totalmente de frente para o teto. Em seguida, fechou os olhos e, com um sorriso estampado no rosto, recebendo sobre si a chuva que ainda caía torrencialmente, enfim dormiu.

A PORTA ABERTA

Por isso não gostava de dormir à tarde. Diferentemente do sono noturno, mais sereno e tranquilo, naquele horário eu era frequentemente visitado, quando não sacudido, por sonhos estranhos e enigmáticos. E desta vez não fora diferente.

Eu estava em pé diante de uma espécie de cortina longa e transparente que pendia do teto até o chão, cujo tecido, aparentemente seda, não era inteiriço, pois descia do trilho em faixas paralelas e idênticas, de iguais tamanhos. Observava a quase imperceptível distância entre elas, que tremulavam levemente ao sabor de uma agradável brisa, semelhante a uma bela e morna mão a acariciar o cabelo e o corpo de todos ali presentes.

Eu enxergava através dessa cortina translúcida a figura de meu pai, também em pé, com a face já velha, como ele realmente a trazia nos dias atuais, mas robusta e forte como sempre a percebera, desde que guardara comigo a primeira lembrança de seu rosto, que talvez coincidisse com o exato momento que o tenha identificado como meu pai.

Enquanto fitava aquele conhecido rosto, que se mostrava absolutamente sereno, ocorria uma lenta transformação: as feições de meu pai iam sumindo e, em seu lugar, aos poucos, surgiam os contornos do semblante de meu filho. Face de um recém-adolescente ainda imberbe, onde, contudo, um bom observador já podia vislumbrar a intromissão de alguns traços mais vigorosos e escancarados de adulto querendo empurrar e roubar os aspectos bem-feitos e tranquilos de um rosto ainda predominantemente infantil. E então eu via com perfeição o rosto de meu filho por alguns segundos, quando mais uma vez ocorria a mesma transformação, só que ao contrário, isto é, voltava a surgir a figura velha de meu pai. E segui nesse jogo por algum tempo, impossível determinar precisamente quanto, pois os sonhos têm o seu próprio e indistinto tempo. Às vezes, o que dura segundos, parecem horas; e o que dura minutos, parece a noite inteira.

No entanto, o que me metia em desespero é que tentava a todo custo alcançar com as mãos ora o rosto do meu pai, ora o do meu filho, mas não conseguia de forma alguma. Era como se eu tivesse uma corda atada à cintura, que me autorizava a dar apenas alguns passos, mas, em determinado instante, se distendia ao máximo e não me permitia dar mais um passo sequer, mantendo-me sempre a alguns centímetros da face deles. Desesperava-me, fazia força para ir mais adiante, porém não saía do lugar. Então olhava para o meu corpo e não enxergava corda nenhuma, mas sabia que ela estava lá, pois, teimoso, tornava a caminhar a passos firmes e não ganhava nenhum centímetro de terreno. E continuei tentando até acordar sobressaltado e suando.

Quando me dei conta de que tudo não passava de um sonho, apesar de me trazer sensações vívidas e absolutamente reais, fechei de novo os olhos e tratei de recuperar a respiração, que percebi acelerada em demasia. Demorei um pouco para controlá-la, mas por fim consegui, após o que me permiti então semicerrar os olhos e pensar no que sonhara.

Após anos de psicanálise, tinha a convicção de que sonhos não eram premonitórios; encarava-os como sensações e sentimentos guardados fundos dentro de mim e que eram transbordados durante o sono.

Entretanto, esse pensamento serviu-me de consolo por apenas alguns minutos. Logo saltei da cama e fui correndo até a sala de minha casa, que não era tão distante, porém sentia que nada seria capaz de confortar a alma e trazer tranquilidade naquele momento até me deparar com o meu filho sentado assistindo serenamente à televisão.

Mal tive tempo de aproveitar a sensação de alívio que me abraçou o espírito, e logo deslizei até o telefone e disquei rapidamente o número da casa de meu pai.

O telefone tocou, tocou, tocou, e ninguém atendeu. Era sábado, sabia que a empregada doméstica não estava e meu pai odiava atender telefonemas. Desde pequeno, lembrava-me da imagem dele sentado no sofá, impassível, sereno, como que congelado, enquanto o telefone não parava de berrar, como um bebê atravessado por uma fome de dias, e todos da casa se batendo pelos corredores para ir correndo atender. Por isso nunca lhe passara pela cabeça comprar um telefone celular, tampouco aceitara a menor sugestão de quem quer que fosse para adquirir um.

Essa lembrança me tranquilizou e me permitiu ir ao banheiro, escovar os dentes, lavar o rosto e seguir até a cozinha, onde abri a geladeira e apanhei uma maçã para comer.

Contudo, as imagens do sonho voltaram a me assombrar e a vagar pela minha mente como fantasmas, e a maçã se viu deixada sobre a mesa, intacta, enquanto os meus dedos ágeis alcançavam a chave do carro, e, num piscar de olhos, já me via sentado diante do volante, dirigindo rumo à casa de meu pai. Durante o início do trajeto, senti-me profundamente irritado com ele. Reclamava em voz alta para mim mesmo, como para me distrair, porque ele ainda mantinha aquela mania de não atender ao telefone. Sobretudo agora, já ingressado em anos e com o físico mais frágil, quando qualquer acontecimento, até uma simples queda, poderia feri-lo gravemente. Por um segundo lembrei-me dele quando mais novo, forte e impetuoso, sempre a me carregar no colo pelas escadas em direção à cama, quando eu era vencido pelo sono e dormia no banco traseiro do carro. Mas aquele telefonema no vazio voltou a tomar corpo dentro de mim e afastou aquelas doces recordações, substituídas por imagens de que algo ruim pudesse ter acontecido, e por isso tivera aquele sonho.

Embora a audição de meu pai tivesse lhe abandonado com a idade, assim como a destreza e a agilidade ao caminhar, lhe fora providenciado um aparelho que, uma vez colocado nos ouvidos, permitia-lhe escutar até a conversa dos pedestres que passavam pela calçada em frente à sua casa. Era certo também que quando não queria se aborrecer com a conversa alheia e, em especial, irritar-se com os conselhos e pedidos dos filhos, mantinha-o teimosamente fora das orelhas. Porém, num sábado à tarde, imaginava que ninguém fosse aborrecê-lo a ponto de obrigá-lo a fazer isso. Não havia motivos, portanto, para não responder ao meu chamado telefônico.

Além disso, ele ainda estava razoavelmente lúcido e mantinha conversas lógicas, não sendo o caso de imaginar que houvesse confundido o som do telefone com algum outro. O problema eram os esquecimentos e a confusão com datas e acontecimentos de seu passado próximo e recente, que se tornavam cada vez mais frequentes.

Por vezes embaralhava os fatos de sua vida, vivenciando no presente algumas passagens já longínquas e há muito esquecidas. Como se as cartas de um baralho imaginário se misturassem desordenadamente dentro de sua cabeça e depois do quatro e do cinco de espadas seguissem o dez e o rei de copas.

Pensei que talvez por isso, de uns tempos para cá, ele abandonara as intermináveis partidas de buraco, atividade que sempre dominara os domingos da família.

Agora declinava os convites para o carteado com uma resposta inflada de bom humor, qualidade que sempre o caracterizou, mas que não disfarçava uma ponta de tristeza que se podia ver no canto de sua boca, turvando-lhe o sorriso e deixando entrever um pensamento nostálgico que o dominava naqueles momentos: de que aquelas elegantes senhoras, as cartas, apreciavam muito mais as mãos jovens e firmes que as suas, já enrugadas e trêmulas. Respeitava-lhes essa vontade, imaginando que assim retribuía às cartas a alegria e o prazer que por muito tempo lhe proporcionaram.

Em suma, não havia um motivo significativo para que meu pai tivesse deixado o telefone soar no vazio. Por isso, novamente me afligi.

Em contrapartida, outro pensamento veio me apaziguar o coração. Era sábado. E o meu pai sabia que eu dedicava esse dia à minha família, logo não aguardava a minha presença, tampouco um telefonema meu em plena tarde. Afinal, era aos domingos que ele me aguardava. Dia de futebol e, apesar da diferença de idade, de geração, de disponibilidade e, às vezes, da incapacidade de travar um diálogo sobre outros assuntos, o esporte e a paixão pelo mesmo time nos proporcionavam dividir horas agradáveis e trocas de afagos e abraços espontâneos que, muitas vezes, esquecemos de nos permitir ao longo da vida.

E a idade ensinara meu pai a assistir ao futebol mais plácida e sabiamente, sem arroubos de emoções desnecessárias, guardando as reclamações contundentes e as vibrações efusivas para os momentos mais adequados.

Quem se lembrava dele socando a almofada do sofá quando seu time perdia um gol, ou correndo porta afora para gritar quando, ao contrário, a bola beijava a rede, espantava-se ao vê-lo ralhar com o meu nervosismo e a minha verborragia diante da televisão, censurando-me pelos palavrões lançados ora contra o árbitro da partida, ora contra o jogador do nosso próprio time.

Porém, nem todo domingo havia um jogo interessante para ver. Então, nesses dias, eu me contentava apenas em velar os cochilos de meu pai defronte à tela da televisão. Quando ele finalmente despertava desse sono intermitente, regozijava-me ao lhe afagar o ego, cutucando-lhe a memória com as lembranças de suas façanhas profissionais.

E ele então se animava e punha-se a desfiar suas aventuras e conquistas no trabalho, descrevendo um Dom Quixote de terno e gravata enfrentando e derrotando moinhos de vento reais.

Algumas vezes nem mesmo era necessário lhe atiçar a lembrança, pois do nada, insuflado por um comentário ou uma notícia que convergia para a profissão que abraçara por tanto tempo, passava a recordar aquelas histórias que narrava orgulhoso.

Nessas ocasiões, eu virava o meu rosto totalmente em direção ao do meu pai, sustentando o seu olhar quase sem piscar, ainda que aquela mesma história já me tivesse sido contada outras tantas vezes, o que não era raro acontecer. Em algumas dessas oportunidades, não conseguia me manter passivo, auxiliando-o com as datas e alguns detalhes que, não obstante presentes na última vez que a narrara, agora já lhe escapavam da memória, como quando tentamos segurar nas mãos as gotas da chuva. Em outras, permanecia somente olhando os lábios dele se moverem, sem ao menos escutar as palavras que eram pronunciadas, apenas sentindo o timbre de sua voz potente e forte, própria de um locutor de rádio, e logo essas palavras todas se misturavam e se transformavam numa música que me embalava e transportava para uma outra casa, onde o via de terno e gravata, almoçando rapidamente, tomando seu café preto e, sem jamais esquecer, despedindo-se com um rápido beijo em minha mãe antes de sair para o trabalho.

Contudo, uma instintiva freada brusca para evitar atingir o automóvel da frente, que parara ao comando do semáforo que eu sequer notara, subitamente afastou aquela música inebriante de minha cabeça, obrigando-me a me concentrar no carro que dirigia e no caminho que seguia. Percebi então que já não estava tão longe. Bastavam poucas quadras e logo estaria adentrando na casa de meu pai. Na verdade, nem precisaria nela ingressar. Como há tempos ele não mais apresentava a audição tão aguçada, como as pernas às vezes não lhe obedeciam como outrora, por ora vacilando em alguns passos, e como o sono em não raras oportunidades chegava e o arrebatava sem avisar, criamos uma estratégia que tranquilizava a ambos: em razão de o ferro do portão que guarnecia a frente da casa ser vazado, permitindo ampla visão de toda a entrada do imóvel, desde a garagem até a janela de vidro que dava para a sala e para o sofá em que ele via televisão, pactuamos que, quando ele estivesse no interior da residência, em algum cômodo mais ao fundo, ou mesmo se estivesse fora dela, nas redondezas, sozinho ou com outra pessoa, deixaria a porta da casa aberta como um sinal claro e perceptível de que ele se encontrava bem onde quer que estivesse.

Apesar de seus inúmeros esquecimentos, datas trocadas e mortos ressuscitados, o mais engraçado era que ele nunca se olvidava desse código.

Cumpria esse pacto há anos. A porta aberta, escancarada, fizesse frio ou calor, comunicando-me antes mesmo que eu adentrasse a casa que ele estava ali, inteiro, esperando por mim.

E, desde então, cada vez que eu saía de minha casa a caminho da dele, cruzando as mesmas ruas, parando nos mesmos faróis, não via o asfalto, os pedestres, nem mesmo os outros carros, só enxergava a imagem daquela porta aberta à minha frente.

No fundo, tinha consciência de que esse código era falível. Podia acontecer algo a meu pai ainda que ele estivesse com a porta escancarada, mas me aferrava a essa imagem como aquele que se agarra a um santo de sua devoção.

E era a ela que me agarrava nesse instante, quando meu coração batia acelerado lembrando-se do telefonema não atendido, quando minhas mãos suadas viravam o volante para ingressar nas ruas que conduziriam até à sua casa. Não tive como afastar de minha mente a recordação de que aquele era o mesmo trajeto que fizera anos atrás, quando recebera um telefonema de uma voz conhecida, mas que soara estranha aos meus ouvidos naquele momento, que apenas pedia que eu fosse até a casa dos meus pais. Naquele dia, mais precisamente naquele exato instante em que escutei as palavras que saíam daquela voz metálica, não precisei nem mesmo fazer a última curva para saber que minha mãe há pouco partira sem me dizer adeus e arrastara consigo metade de meu pai.

No entanto, naquela vez eu recebera o telefonema; agora fora eu quem fizera a chamada. No passado não houve nenhum sonho, simplesmente aconteceu; hoje eu tivera um sonho e sabia que sonhos não eram premonitórios. Então me agarrei a essas acalentadoras constatações e acelerei o automóvel para chegar o mais rápido possível.

A mesma palpitação descontrolada no coração que sentia quando me ancorava aos braços da poltrona quando o avião decolava ou aterrissava, o mesmo medo que me assomava quando levava meus filhos ainda pequenos ao parque e os via equilibrando-se em grandes brinquedos, senti quando ingressei na rua e estacionei defronte à casa de meu pai.

E o mesmo impulso contra o qual eu lutava para não seguir os meus filhos com os braços abertos debaixo dos brinquedos em que se divertiam combatia agora para não virar inopinada e inadvertidamente os olhos em direção ao portão vazado da garagem. Não foi fácil vencê-lo, porém sabia que, antes de fazê-lo, precisava respirar com calma, tirar todas as imagens e fantasias da cabeça e, aí sim, voltar os olhos em direção à casa.

Para ganhar tempo e ajustar o meu coração, concentrei-me em desligar o carro, puxar o freio de mão, tirar a chave do contato e abrir a porta do motorista sem olhar para o lado. Então saltei do veículo, fechei a porta de cabeça baixa, respirei fundo, soltei um suspiro alto e finalmente levantei os olhos, e a minha alma se acalmou ao ver a porta aberta.

EM FRENTE, MARCHE?
—

A fila seguia indiana, organizada por altura, o ritmo compassado e preciso. Apesar de ser o mais alto do grupo, não lhe cabia mais o último posto. Fazia cerca de quinze minutos que haviam saído da estrada de terra e caminhavam pela trilha plana que cortava a pequena floresta do parque próximo à sede da equipe.

Nesse momento, avistou à frente uma bifurcação, e um grito forte e imperativo, próprio daqueles acostumados a comandar, cortou a mata como um trovão e imediatamente feriu os seus ouvidos no início daquela simétrica formação: "sempre reto e à direita na bifurcação à frente".

Mal a ordem lhe invadiu o cérebro e este, automaticamente, como se jogasse uma partida de tênis, lhe devolveu o seguinte desafio, que interpretou como uma provocação: por que deveria virar à direita?

No fim de semana anterior, durante uma excursão com o grupo em uma cidade próxima, famosa por suas montanhas e cachoeiras, também aceitando um instintivo comando interior, diferentemente da ordem exarada pelo líder da tropa, em vez de derivar à direita na encruzilhada de um morro que exploravam, escolheu o caminho oposto. O mato que cercava o local não era espesso e a área não era tão grande, por isso sabia que não correria o risco de perder-se definitivamente do grupo, a quem com efeito encontrou cerca de uma hora depois.

A diferença, soube posteriormente, é que seus companheiros apenas caminharam na planície e aprenderam os nomes das árvores e dos pássaros que encontraram pelo caminho, ao passo que ele seguiu morro acima, até atingir uma clareira que lhe permitiu avistar toda a cidade abaixo e a cadeia de montanhas que a circundava e seguia subindo e descendo de mãos dadas até se perder de vista. E, no caminho de volta, ainda se permitiu o prazer de tirar o suor e o cansaço do corpo com um rápido banho nas águas frias da pequena cachoeira que encontrou ao seguir o vozerio dos companheiros que o procuravam.

Outra diferença em relação aos seus colegas foi a dura repreensão em altos brados que sofreu na frente deles, mais severa que qualquer advertência que já experimentara fosse na escola ou mesmo de seu pai, conhecido na família por sua extrema rigidez.

Livrou-se de um castigo apenas porque a última posição que sempre ocupava na fila por ter crescido mais rapidamente que os demais lhe proporcionou a desculpa de que se distraíra e ficara para trás, pegando uma saída errada e perdendo-se do grupo.

Passou a semana seguinte inteira se perguntando se fora apenas aquela facilidade de estar no fim da fila que o fizera escolher o caminho diferente. Ainda não tinha a certeza da resposta, mas trazia consigo a convicção de que qualquer outro menino do grupo, caso estivesse na mesma posição que a sua, não teria agido da mesma maneira. Não apenas sentia isso, como fez questão de tentar comprovar esse seu pensamento na prática. Para tanto, durante a semana, insistiu com vários garotos para que, na próxima caminhada, sem que o líder notasse, trocassem de lugar com ele e, assim que surgisse uma oportunidade, juntos saíssem do trajeto proposto e arriscassem uma exploração distinta do terreno, ainda que rápida. A maioria lhe respondeu com um não convicto, lembrando-lhe inclusive, na rapidez e rispidez da negativa, a irmã mais velha quando ele lhe pedia algo emprestado. Os demais, embora claramente tentados a arriscar a aventura, denunciados que eram por sorrisos de canto de boca e brilho nos olhos, tiveram a vontade eclipsada pela lembrança da admoestação e da humilhação pública de que o amigo fora alvo.

Não entendia aquele comportamento dos colegas.

Inicialmente, ele nem queria participar daquele grupo. Fora sua mãe que o levara, atraída pelo uniforme e pela gravata, além, é claro, pelo senso de organização e disciplina que aquilo poderia proporcionar a um jovem em formação. Ficou pouco à vontade naquela roupa, que lhe apertava os membros, impedindo-lhe de produzir os movimentos naturais que estava habituado a fazer desde que se entendia por gente. Tampouco sentiu simpatia pelos outros meninos, que lhe pareceram num primeiro momento um tanto apáticos e incapazes de lhe propor desafios a superar. Mas escutou o nome de batismo do grupo e tudo mudou: "Alcateia". Já havia aprendido o que significava aquele termo na aula de português, quando a professora explicara o coletivo de alguns seres e coisas, mas não se recordava a qual ele especificamente se referia. A vergonha e o medo de ser motivo de riso dos demais, sobretudo no primeiro dia de contato com eles, podendo-lhe selar o resto de seu destino ali, inibiu-lhe de elaborar a pergunta que estava na ponta de sua língua e saciar a sua curiosidade, que naquele momento era maior que a sede de um homem caminhando há dias pelo deserto. Finda a reunião do dia, saiu em disparada para a casa e correu direto para o seu quarto, onde, antes mesmo de tirar o uniforme que tanto o incomodava, pegou o dicionário e correu as páginas até encontrar aquela palavra, "alcateia", que finalmente lembrou ser o coletivo de lobo. Como pudera esquecer? Gostava tanto das aulas de português, matéria que lhe ensinara o alfabeto e lhe proporcionara ler os livros de aventura que devorava um atrás do outro. Porém, o sentimento de decepção consigo mesmo foi logo superado pelo mistério que a figura do lobo lhe provocava: vivia vagando à noite, desbravando as matas sem medo de nada, uivando para o céu, como que conversando com as nuvens e as estrelas.

A partir daí se engajou e se incorporou ao grupo, surpreendendo os próprios pais com tamanha empolgação, até que chegou o dia em que, aborrecido e cansado de seguir todas as regras ali ditadas, resolveu virar na direção contrária à ordem impingida e, sob a sua ótica, acabou vítima de uma bronca absolutamente desproporcional, somada à humilhação experimentada diante dos colegas.

Pensando bem, aquilo só podia terminar assim, pois desde que entrara na escola ele nunca gostara de fazer trabalho em grupo. Não que se negasse a fazer projetos coletivos, fosse antissocial e não gostasse de interagir com as outras crianças, porém nessas ocasiões era sempre inundado pela sensação de que lhe era tolhida a chance de percorrer livremente por todas as escolhas e possibilidades de sua própria imaginação.

No entanto, agora não tinha muita alternativa. Depois do acontecimento do último sábado, o chefe da turma alterara a ordem da fila, ou seja, os mais altos iam à frente e a ele, o de estatura mais elevada, cabia puxar aquela estranha procissão. Assim fez o comandante do agrupamento com a evidente intenção de mantê-lo sempre próximo dos raios de ação de seus olhos, impedindo-lhe qualquer nova possibilidade de desgarrar-se do rebanho, embora, ironicamente, fosse o menino integrante de um grupo denominado alcateia.

Bastava-lhe, assim, apenas seguir a manada.

Veio-lhe então à mente mais uma das muitas frases ditas por sua mãe.

Numa das inúmeras repreensões lançadas por ela contra ele ao longo da infância e agora da adolescência, algumas coléricas, outras carinhosas, e esta mais precisamente repleta de uma oportuna ironia, cuja motivação inclusive sequer lembrava mais, tantas foram as suas ações que mereceram por parte da mãe uma reprimenda, ela lhe disse calmamente, porém em tom firme, balançando a cabeça e com um sorriso sério no canto da boca: "a vida não é um jogo de futebol".

No instante em que foi proferida, aquela frase foi apenas mais uma das broncas ou conselhos da mãe, mas com o passar do tempo percebeu que ela o atingiu fundo, de forma certeira, no ponto justo. Talvez por utilizar uma analogia adequada à sua faixa etária, talvez por ter sido falada com um misto de seriedade, carinho e preocupação, ela seguiu dentro dele, voltando-lhe à mente de tempos em tempos, nos mais inusitados momentos: ora quando estava prestes a tomar uma decisão; ora quando estava sob a água do chuveiro; ora quando estava simplesmente pensando no dia de amanhã.

Além disso, era uma das frases mais contundentes e desanimadoras que se poderia dizer para um garoto naquela idade.

Primeiro, porque se aplicava à própria atividade condenada em si. Com efeito, não foram poucas as vezes em que ele se viu pleno de coragem, fugindo de marcadores implacáveis, aplicando dribles desconcertantes, se intitulando com nomes de craques e marcando gols que nunca seria capaz de assinalar na vida real, e logo a frase passava como o clarão de um raio longínquo diante de seus olhos e toda aquela elegância e capacidade de seus movimentos se esvaía. Via-se então no quintal de casa, sozinho, diante de inúmeras cadeiras alinhadas umas atrás das outras, e não com uma bola brilhante de tão branca, mas sim com uma bola gasta e já meio oval sob os pés.

Segundo, porque ela podia ser aplicada a qualquer outra atividade lúdica ou mais arriscada que ousasse fazer ao longo do dia ou mesmo no transcorrer da vida. Quando, por exemplo, ignorava o sinal do fim do intervalo e permanecia na quadra jogando futebol quarta aula adentro; ao olhar sorrateiramente através da fechadura para ver a própria irmã ou a irmã mais velha de um amigo se trocando no quarto; quando se perdia de propósito na praia; ou, como frequentemente gostava de fazer, caminhava no meio da multidão com os braços soltos e sem rédeas, encostando no corpo das outras pessoas apenas para sentir que não estava sozinho no mundo.

Assim, após uma silenciosa luta interna, com esse mantra materno na cabeça, e os olhos sempre atentos do líder atingindo-lhe os seus a intervalos regulares e idênticos, assemelhando-se a um farol no alto da colina alcançando e iluminando o mesmo ponto do mar, não contrariou a ordem emitida e virou à direita na bifurcação.

Contudo, mesmo após ter feito aquela opção e seguido a passos tímidos o líder da turma, a convulsão interna ainda lhe dominava, como se seu íntimo não a aceitasse e se rebelasse contra a decisão tomada por seu corpo. Tanto que, inadvertidamente, lágrimas começaram a verter de seus olhos. Com receio de que alguém notasse o choro, apertou o passo, tornando-os agora largos, o que lhe era ainda mais fácil, posto que se tratava de um menino de porte físico superior aos demais, dificultando assim que os outros garotos o acompanhassem de perto.

Passou-lhe imediatamente pela cabeça que era um grupo só de meninos, e a simples ideia de que aquelas lágrimas descendo pelo rosto fossem vistas por um bando de rapazes na puberdade o assustou ainda mais, fazendo-lhe quase correr. Aquilo poderia significar o aniquilamento de sua imagem perante todos. Imaginou as inumeráveis brincadeiras maldosas que seriam feitas com ele a partir daquele episódio e os aborrecimentos sem fim que enfrentaria com a pecha de chorão.

Essa era uma das desvantagens de não ser um grupo misto, não contar com a sensibilidade e a compreensão feminina nesses momentos difíceis. Porém, refletiu bem, e chegou à conclusão de que talvez fosse ainda pior caso se derramasse em lágrimas, sobretudo sem um motivo aparente, na frente de garotas adolescentes, que, por si só, já os achavam imaturos, comumente desprezando-os e sempre preferindo os rapazes mais velhos.

"Certamente experimentaria uma vergonha ainda maior", pensou.

Após tais ponderações, concluiu estar sendo muito rígido em seu juízo de valor negativo sobre a decisão de existir essa norma de grupos distintos, um exclusivamente masculino e outro, feminino, pois as meninas contavam com o seu próprio grupo, que também saía em explorações pela natureza. Afinal, além de essa separação proteger os meninos de expor as suas fraquezas perante as garotas, permitia-lhes realizar brincadeiras e competições que a presença delas não tornaria possível.

Mas para eles o mais importante talvez fosse o fato de que a ausência feminina lhes proporcionava a possibilidade de tecer longas conversas, sem nenhuma vergonha ou censura, sobre assuntos de cunho sexual. Cada integrante do grupo contribuindo com o seu pouco conhecimento e a sua aguçada curiosidade sobre o tema, ajudando-se, desse modo, mutuamente, a conhecerem a si mesmos, bem como a esse universo que ainda lhes era misterioso. Mesmo porque, em razão da rígida educação que lhe era empregada em casa, o mais explícito e direto que ouvira sobre o tema no seio familiar até àquela altura da vida se dera ao escutar por acidente uma conversa entre sua mãe e uma amiga, em que aquela reclamava que o marido, ou seja, o seu pai, era cada dia mais rápido na cama, chegando a ironizar que em breve mal teria tempo de se despir, o que dirá sentir prazer. Ao que a amiga respondeu que ela até devia se dar por feliz em poder reclamar da qualidade e velocidade do sexo com o companheiro, coisa que ela, assim como outras colegas contemporâneas, não mais tinha para protestar.

As palavras contidas na resposta daquela amiga de sua mãe ficaram martelando em sua cabeça e incomodando-o por vários dias, até que por fim conseguiu compreender o exato e deprimente significado que elas traziam consigo. Por outro lado, diferentemente de sua mãe, de quem vez ou outra escutava comentários de natureza sexual, mas não tão picantes quanto aquele ouvido às escondidas, nada nesse sentido, fossem relatos ou reclamações, presenciava sair da boca de seu pai.

Figura taciturna, rígida, à noite sempre debruçado sobre a mesa, somando e subtraindo, perdido em suas inumeráveis contas e cálculos, deixando de responder às perguntas e infinitas curiosidades diárias do filho sob o argumento de que iria perder a concentração caso o fizesse, adiando assim as respostas para um dia que nunca chegava.

No fim das contas, xingava e esbravejava que, por mais que somasse, dividisse, multiplicasse e subtraísse, o dinheiro nunca era o suficiente. Insistente como a maré que sempre sobe e vem lamber as areias da praia, no dia seguinte lá estava ele, na mesma cadeira, diante da mesma mesa e ostentando a mesma caneta, a repetir as idênticas operações aritméticas, como se meras vinte e quatro horas fossem suficientes para alterar o resultado final.

O único comportamento distinto que o pai adotava nessas ocasiões era às vezes levantar-se, dirigir-se até o seu improvisado escritório, situado no menor cômodo da casa, e retornar com uma calculadora já gasta nas mãos. Talvez imaginasse que aquele objeto mudaria a composição dos números, ou quem sabe alteraria o total gasto com os filhos adolescentes.

Contudo, aquilo que inicialmente parecia um amuleto, um sinal de esperança, logo era jogado de lado, fazendo um barulho surdo ao encontrar a superfície de madeira da mesa, acompanhado de mais lamúrias e palavrões proferidos em voz baixa, mas que podiam ser lidos em seus lábios. E mais uma vez a cara se fechava, acabrunhada, mostrando um indisfarçável mau humor que o dominava e lançava as ansiadas respostas às inquirições do filho para um remoto dia mais promissor e feliz.

Mas isso tudo de pouco lhe valia agora, afinal o mais importante é que conseguira reunir todo o resto de suas forças interiores e soterrar aquela vontade crescente e feroz que se debatia dentro dele, feito um animal selvagem preso em uma jaula de aço. Vencera a batalha e impedira outras lágrimas de brotarem, engolindo o restante do choro em seco, sem dar a chance de os outros verem.

E enfim conseguiu, durante toda aquela tarde de sábado, tal qual um operário exemplar, seguir de perto os passos do líder da alcateia, observando com afinco a paisagem que este detidamente indicava à medida que caminhavam, sorvendo todas as explicações geográficas que ele fornecia sobre elas, bem como os apontamentos sobre os pontos cardeais e suas inúmeras subdivisões, entre várias outras coisas.

E, superado aquele arroubo momentâneo, que lhe rendera uma inesquecível bronca diante de todos, e que creditou à rebeldia e aos humores próprios da adolescência, ele assim seguiu, como um autômato, durante todo o restante daquele ano.

* * *

E o ano passou rápido. Como sempre passa para os adolescentes. Como se os dias voassem de par em par. E uma semana parecesse um dia; um mês parecesse uma simples semana. Como quando se faz, quando criança ou jovem, por meio de um rápido cálculo mental, em geral ao término de um evento esportivo mundialmente importante, um paralelo de quantos anos se terá no início daquela próxima competição quadrienal. E, quando se percebe, embora tenha aparentemente transcorrido pouco tempo, lá se foram os quatro anos e mais uma vez está prestes a se iniciar aquele marco que serviu como parâmetro daquela singela brincadeira com o tempo. E aquele fim de ano era em particular importante, na medida em que se daria a formatura do grupo ao qual ele pertencia.

Tratava-se, na verdade, de um fim de ciclo, posto que além de ter atingido a idade limite, aquela turma já experimentara um período de convivência e um nível de aprendizado dentro daquela organização juvenil, que a graduava a seguir para um estágio mais avançado, com objetivos mais desafiadores, porém mais árduos, e seguramente a exigir uma disciplina ainda mais severa.

O nível de importância se notava inclusive pelo dia designado para a solenidade. Diferentemente do indefectível sábado em que se davam os encontros e excursões do grupo, a formatura era sempre marcada aos domingos, às dez horas da manhã.

E era obedecido sempre o mesmo ritual. Os meninos seguiam no sábado e acampavam num local próximo à sede do grupo. No domingo acordavam bem cedo, levantavam acampamento, limpavam o local e se dirigiam até lá, caminhando, para a solenidade, onde já estariam todos os diretores e organizadores mais graduados, além dos familiares mais próximos de cada integrante da turma.

Ostentariam o uniforme impecável, o nó da gravata perfeitamente atado à gola da camisa e com absoluta simetria ao comprimento dessa vestimenta. Hasteariam a bandeira, cantariam o hino do país e o hino do grupo. Mostrariam como acender uma fogueira, reconhecer as plantas e prestar os primeiros socorros quando necessário. Por fim, receberiam medalhas e ganhariam certificados para serem guardados na gaveta.

E os familiares também se apresentariam com polidez e elegância.

Ajoelhado na grama, enquanto enrolava o seu saco de dormir, dobrava e guardava cuidadosamente as suas roupas, recordava-se de dois dias atrás, em que vira o pai escolhendo uma gravata para a ocasião, assim como presenciara sua mãe passando não apenas o próprio vestido que usaria, bem como o de sua irmã, que, apesar das reclamações e dos choramingos, não conseguira fugir àquele evento familiar.

No entanto, a presença que mais o angustiava era a de sua avó. Perguntava-se o que uma senhora de oitenta anos de idade, que passara a infância na fazenda, ajudando os pais a plantar e a colher, conhecendo a natureza mais do que ela própria naqueles anos iniciais de sua formação, o que ele a todo instante comprovava ao ouvir atentamente as inúmeras histórias que ela com frequência lhe contava sobre o "mundo dela", como fazia questão de enfatizar, iria tirar de proveito daquele espetáculo? Tirante o amor que sentia por ele, como toda avó nutre por seu neto, não encontrava uma única justificava para que ela, já com as pernas cansadas e caminhando com alguma dificuldade, fosse levada para aquele lugar longínquo apenas para vê-lo desfilar junto com seus companheiros.

Estava presente quando ouviu os seus pais lhe dizerem com uma voz melosa que era a formatura do neto, e tanto ela quanto ele não tiveram forças para protestar. Embora fosse uma mulher de caráter forte e ostentasse em seu currículo várias atitudes corajosas ao longo da vida, percebera que o peso do amor ao neto ou talvez a chantagem

41

emocional exalada da frase proferida pelos pais, cheirando a um perfume excessivamente doce e enjoativo, a impediu de lhes dizer não. E foi pensando não apenas na figura e na importância de todos os familiares que estariam lá, mas também no líder que ia à frente, dono de si e autoritário como sempre, bem como em todo o ano em que convivera com aquele grupo, que iniciou a marcha pela trilha que os levaria até o local da comemoração.

Menos por não ter ocorrido mais nenhum episódio de "desgarramento" de qualquer membro do grupo naquele resto de ano, mas certamente por uma questão de amor à beleza estética a ser demonstrada aos superiores e convidados, o líder do agrupamento optou por voltar a seguir na organização da fila a ordem crescente dos meninos, isto é, do menor ao maior, ocultando assim os portes físicos ainda desequilibrados, irregulares e mal acabados daqueles adolescentes em plena fase de crescimento, atrás de uma vistosa e impecável formação. A trilha era simples e seguia paralela à direção em que ficava a sede do grupo. Apesar de acompanhado insistentemente desde o início da caminhada por aquelas imagens e reminiscências, marchava determinado e sem dúvidas rumo ao ponto final, assim como todos os demais garotos.

Após cerca de trinta minutos de marcha, enfim começaram a escutar as vozes e o alvoroço dos familiares que os aguardavam. Não estavam ainda tão próximos deles, mas o silêncio da trilha, cortado apenas pelos passos do grupo e pelo canto dos pássaros, permitia ouvi-los. Não era possível compreender o que diziam especificamente, mas sentia-se o tom de voz festivo, a felicidade e o orgulho que os embalavam, embora não se enxergasse os seus semblantes.

A expressão do rosto dos meninos não se alterou, o ritmo das passadas tampouco, mas uma energia diferente, uma onda de tensão que parecia exalar do suor de cada um deles, idêntica àquela apreensão única que se experimenta segundos antes de o equilibrista dar o último passo na corda bamba, pairava no ar e agora também acompanhava aquela jovem formação.

Cerca de vinte metros à frente, avistou o local em que a trilha se dividia. E não tardou a escutar a potente voz ordenar: "Sempre reto e à direita na bifurcação à frente".

Como se o tempo retrocedesse e todo aquele sentimento enterrado ao engolir aquele choro meses atrás viesse cobrar o seu preço, o seu interior foi sacudido por um vulcão de lembranças e emoções. Recordou-se do único dia que em que desobedecera ao comando emitido, do relevo desconhecido que trilhou, da clareira que dava vista para as montanhas, da cachoeira em que se banhara, chegando até a sentir em sua pele novamente a temperatura da água. Ao mesmo tempo, num ritmo alucinante, quase num frenesi de imagens projetadas lado a lado, como se sua mente fosse uma tela dividida em vários quadrantes, assistia à sua violenta repreensão, à expressão irada do chefe do grupo e do semblante de cada companheiro diante daquela cena. Somava-se a isso a recordação de seu pai escolhendo a gravata, sua mãe passando a roupa e sua avó, resignada, meneando a cabeça e dizendo um sim pouco convicto.

Para piorar ainda mais a sua situação, naquele dia a estrada escolhida para alcançar a sede fora outra. Realmente, haviam sido alertados no dia anterior que, em razão da proximidade do verão e das chuvas que já haviam começado a castigar a região todo final de tarde, a fim de evitar um trecho possivelmente coberto de lama, optariam por um atalho mais curto e de terra batida. E a parte do caminho que se abria para essa nova trilha, na verdade se apresentava na forma de uma encruzilhada, pois além da entrada à direita, que o grupo deveria seguir, coincidentemente se abria uma outra à esquerda, que sempre o intrigara, posto que era composta de árvores mais robustas e de folhagem espessa, além de ser mais escura e sombreada quando comparada com as demais trilhas por eles até então exploradas.

Não obstante, manteve o passo e sentiu que, além das imagens que passeavam em sua cabeça, aquele choro que o visitara em um passado recente também queria fazer-lhe companhia. Aquela constatação, no entanto, foi a gota d'água. Identificando-o como uma resposta de sua alma, decidiu nunca mais sentir aquele tipo de lágrimas.

Então, aproveitando que o líder só tinha olhos para si próprio naquele momento, e como único pensamento marchar à frente com determinação para mostrar o caminho correto a trilhar, num gesto rápido e silencioso, tal qual um peixe deslizando sob as ondas, desgarrou-se e ganhou aquele trajeto desconhecido.

Ele começava macio e aberto, mas após alguns metros logo se fechava, tornando-se escorregadio pelo solo ainda molhado e coberto pelas sombras das longas folhas que pendiam das árvores, assemelhando-se a compridos cabelos tingidos de verde. Equilibrou-se nos próprios pés e seguiu a passos largos por cerca de vinte metros, quando a paisagem estreitou ainda mais e os raios de sol praticamente desapareceram, impedidos que eram de penetrar por aquele emaranhado de galhos e folhas. Olhando de longe parecia uma elaborada teia de aranha que colocava fim àquele curto caminho. No entanto, mirando mais atentamente, ele percebeu que antes de se chocar contra aquela parede de árvores, havia uma saída. Encorajou-se, andou os poucos metros que faltavam até ela e surpreendeu-se com um aclive à direita que lhe permitia dar continuidade ao trajeto.

Diferentemente da entrada anterior, esta começava fechada, ainda protegida por cerrada vegetação, mas logo depois se abria e as árvores distanciavam-se umas das outras, permitindo que o sol viesse de novo beijar o chão. Tanto que a partir dali o solo já estava seco, o que lhe deu ainda mais confiança para caminhar. Percebeu que essa nova mudança de direção o colocara mais uma vez em posição absolutamente paralela com a sede do grupo. Pensou que se apertasse o passo e houvesse outra saída à direita, chegaria lá antes que o restante de seus companheiros.

Mas essa ideia foi logo rechaçada de sua mente quando percebeu que o sol às costas projetava sua sombra à frente e o fazia ter mais de dois metros de altura; daí começou a brincar consigo mesmo, alternando passos rápidos e lentos, e alguns pulos para ver como seria ter o porte de um gigante.

Então, sem perceber, afugentou o resto de medo que havia dentro de si e acelerou o ritmo, buscando descobrir o que o esperava adiante.

Curiosamente, à medida que caminhava, a trilha derivava ainda mais à direita, e se punha quase ao lado, só que em um nível mais elevado, do caminho original que deveriam ter seguido para chegar ao local da formatura, mas que fora trocado por se imaginar que estaria coberto de lama. Talvez fosse a diferença de altura entre os dois trajetos, talvez a folhagem, ou talvez jamais tivesse olhado para cima enquanto formava a fila e marchava com os colegas, porém nunca havia reparado na existência daquela estrada elevada.

Percebeu que olhava demasiado para a frente e quase nunca para cima. Pensou que a partir de agora precisava olhar mais para o céu, da mesma forma que os lobos faziam ao uivar. Então olhou e ficou boquiaberto com o céu de um azul extremo, sem nuvem nenhuma para maculá-lo.

Após quase cegar com a intensidade daquele azul, volveu os seus olhos para a trilha e percebeu que se tratava de uma subida realmente íngreme, mas que já estava próxima do fim. E terminava de forma abrupta, sem um meio-termo, sem um trecho para recuperar o fôlego. Chegava-se ao topo dela e, em seguida, havia uma descida longa e brusca que acabava numa pedra grande e chata. O engraçado é que nesse ponto o caminho se estreitava e as árvores voltavam a avizinhar-se, tapando novamente a visão do que estava ao redor. Ele só iria se abrir ao atingir aquela pedra, onde os raios de sol voltavam a bater.

Ao ver-se parado naquele exato local, no cume da trilha, entendeu por que nunca o grupo fora desafiado a segui-la. Era impossível enxergar aquela pedra refletindo o sol, como uma grande barra de ouro, e não querer alcançá-la e ver o que existia além dela. E os cerca de quinze metros que o separavam dela não eram tão fáceis de serem vencidos.

A inclinação era considerável e, assim como o começo da trilha, esse trecho mostrava-se úmido e escorregadio pela dificuldade de ser banhado pelo sol. Em grupo, se um integrante escorregasse, derrubava e levava os demais ribanceira abaixo, como naquela brincadeira de enfileirar dominós e dar um leve peteleco na peça disposta na ponta.

Entretanto, estava sozinho e não corria o risco de atingir alguém, pensou, dando imediatamente o primeiro passo à frente. Receoso, enquanto descia esticava o braço direito e agarrava-se às árvores, que lhe serviam de corrimão. Não sabia definir se eram os sapatos apropriados que calçava, os passos milimetricamente calculados ou o terreno que não se mostrava tão úmido quanto parecia, mas o certo é que seguia com passadas lentas, porém firmes.

Assim, cauteloso e confiante, venceu dois terços da descida, a ponto de experimentar deixar o braço direito livre dos troncos das árvores para obter maior rapidez e equilíbrio. Neste momento, contudo, sentiu os pés perderem totalmente o atrito com o solo e, em questão de segundos, o forte impacto das nádegas contra o chão serviu-lhe apenas para ajeitar da melhor forma possível o corpo para a viagem. Os cerca de cinco metros que o separavam da rocha pareceram não ter fim e, embora tentasse diminuir a velocidade com as mãos, improvisando-as como um freio de carrinho de rolimã, a superfície excessivamente lisa o fez sentir-se em um tobogã criado pela natureza. Porém, excetuando-se a velocidade semelhante, no fim dele não havia uma grande banheira de água, mas sim uma rocha sólida e áspera, e o que havia depois dela era um mistério.

Não bastasse isso, à medida que descia perdia o controle dos olhos, que ignoraram totalmente os seus comandos e por instinto se fecharam.

Eles só voltaram a se abrir quando o choque seco contra a pedra o fez ser lançado, em um efeito contrário, com o corpo todo para a frente sobre a superfície da grande pedra. E foi justamente a sua aspereza que o impediu de continuar deslizando até além dela, onde não haveria mais nada, a não ser o espaço vazio.

Viu-se então deitado de barriga para baixo, com a cabeça paralela à rocha e seus olhos a poucos centímetros dela. Podia sentir o seu cheiro seco e definitivo e perceber a força da natureza através dele. Não havia como contestar aquela força.

Aos poucos voltou a sentir o resto do corpo, pernas, braços, mãos, sem perceber qualquer dor mais aguda que denunciasse um machucado grave. Ainda sem coragem de voltar o seu olhar para a frente, apoiou-se e colocou-se de pé. Apontou então a visão para si, e conferiu assustado e feliz o estrago traduzido apenas em arranhões nas pernas e nos braços, além do inevitável uniforme sujo e com alguns rasgos.

Superado o medo, enfim se permitiu olhar para a frente e, antes mesmo de focar a vista para além da pedra, o já conhecido vento forte que atingia o seu rosto como aquele que o acariciara meses atrás, quando também se desgarrara do grupo, anunciou o que estava por vir. O imenso vale descortinava-se abaixo dele e, lá no fundo, a sua pequena cidade, quieta, mansa, abraçada pelas montanhas que a protegiam, e cortada por um rio cor de barro que mais se assemelhava a uma mancha de sangue marrom que lhe fornecia a energia vital. Ela parecia dormir de tão silenciosa e estagnada. Dali se viam os poucos prédios e os telhados das casas, que lhe proporcionavam um brilho e um colorido diferente ao refletir o sol, como uma cidade psicodélica. A distância, ela era inofensiva.

Mas pouco pôde apreciar aquela vista, pois, como desconfiara ao enfrentar aquela trilha, ela se encerrava no ponto exatamente paralelo à sede de seu grupo. E, embora a distância entre ela e o exato local em que se encontrava postado fosse grande, o silêncio absoluto de onde estava lhe permitia que chegassem aos seus ouvidos um vozerio familiar, logo interrompido pelos primeiros acordes do hino nacional lançados por uma potente caixa de som, acompanhado de vozes juvenis a entoar-lhe a letra.

O som lhe chegava tão puro que teve a impressão de que se virasse o pescoço veria a bandeira sendo hasteada e subindo mastro acima à medida que a música evoluía. Resolveu fazê-lo. Viu então os companheiros enfileirados, mãos no peito e olhos na bandeira, brigando numa luta aflita e silenciosa com a memória para não errar nenhum verso. Viu o chefe do grupo orgulhoso, traje alinhado, peito estufado e com os olhos voltados de forma tão egocêntrica para si, que os traíam e não o deixavam perceber a ausência de um dos garotos do rebanho. Viu o semblante de enfado de sua avó, perdida em seus próprios pensamentos. Enxergou, por fim, a aflição estampada nos olhos de seus pais, procurando em vão a sua figura dentre aqueles meninos. Percebeu que se entreolhavam e, surpresos, flagraram-se ambos com um pensamento único e idêntico, como há muito não experimentavam: aguardar o encerramento do hino, levantar a mão e, procurando disfarçar o nervosismo que os dominava, questionar a ausência do filho.

Mas se permitiu virar novamente o tronco e descolar-se daquelas imagens fugidias. Fez questão de voltar os seus olhos para o próprio corpo e observar mais uma vez, só que agora com um sorriso no rosto, os braços e pernas arranhados, as mãos e o uniforme sujos de barro. Percebeu a gravata desarrumada e desalinhada. Desatou-lhe o nó e, decidido, dela se desfez jogando-a no vazio.

Em seguida, fechou os seus ouvidos para o restante do hino, que já alcançara a segunda parte, e os abriu apenas para o silêncio ensurdecedor que subia do vale e preenchia todo o espaço entre ele e a pedra na qual ainda se mantinha em pé.

Então, tranquilamente, foi abaixando e inclinando suas pernas e seus braços até sentar-se na rocha. Não satisfeito, escorregou o resto do corpo sobre a sua superfície e, ignorando a sua aspereza, apoiou-se sobre os cotovelos, quase que se deitando por inteiro. Manteve, porém, a cabeça o mais firme possível sobre o tronco, permitindo, assim, que seus olhos se deixassem fixar no horizonte, preenchendo-o devagar e longamente com a visão mais linda que ele até então experimentara em sua curta vida.

NAS ENTRANHAS DAS PERNAS
—

Depois de trinta e cinco anos, não podia acreditar que ali estava, na cozinha de sua casa, às nove horas da manhã de uma segunda-feira ensolarada, vestindo aquele pijama ridículo e aqueles chinelos estúpidos. Aquelas roupas exalavam o cheiro da velhice, tudo ali parecia se impregnar daquele terrível odor e queria também cheirar a coisa velha, inclusive sua pele. O cheiro avolumara-se e começava agora a invadir completamente suas narinas e dominar sua alma, causando-lhe um indomável asco.

Para escapar àquela sensação, Antônio fugiu para a repartição. Naquele horário, a movimentação já era grande, senhas eram distribuídas a todo momento, carimbos batidos com força, arquivos vasculhados e todos pareciam perdidos buscando dar cabo de suas tarefas. Por trás de sua imponente mesa, observou um elegante senhor de gravata encostar-se no balcão e indagar a um funcionário sobre o resultado de um importante documento que protocolizara dias atrás. Perturbado, o servidor balançou nervosamente os braços e a cabeça e olhou o vazio. Nesse instante, encontrou a robusta mão direita de Antônio que, de cabeça baixa e sem mover nenhum outro músculo, apenas apontava com o dedo indicador o escaninho localizado no fundo do corredor. Após dois ou três "muito obrigado" e um pouco sem jeito, o funcionário deslizou pela agitada repartição a caminho da prateleira indicada.

Regozijava-se com tal feito, quando foi arrastado de volta à sua casa pela mulher que irrompera na cozinha, conduzida pelos ruidosos chinelos. Ela lhe deu um bom-dia rápido e perpassou os olhos pela mesa. Ao observar que o pão não fora ainda comprado, levemente irritada, perguntou se naquela casa não se tomava mais café.

Haja o que houver, há certos pactos tácitos que nascem ao longo do casamento que devem ser sempre respeitados. O pão na hora do café da manhã era um deles, ainda mais por ter sido religiosamente cumprido desde o primeiro dia seguinte ao matrimônio. Assim também o era o jantar no horário habitual, a massa aos domingos, o lado em que cada qual dormia na cama, o sexo semanal, às vezes quinzenal ou até mesmo mensal. Mas o pão era demais, o mais importante de todos eles, nunca falhara em quarenta anos.

Irresignada, exigiu que Antônio fosse comprá-lo.

Com desmedido esforço conseguiu controlar a fúria que o varreu por dentro, sobretudo por ter sido arrebatado a contragosto de seu local de trabalho em razão de uma observação tão mesquinha. Com a cabeça baixa e a face vermelha, levantou-se com extrema dificuldade da cadeira e ganhou o corredor a passos pesados e lentos.

Ao enfim alcançar o quarto, com o mesmo vagar abriu a porta do armário, quando inadvertidamente deu de encontro consigo refletido no espelho. Mais uma vez se viu com aquele traje lamentável, e o fedor voltou a lhe invadir as narinas. Com uma invejável rapidez despiu-se e colocou a primeira roupa que encontrou pela frente, deixando atrás de si apenas um pequeno rastro do já conhecido odor.

Naquele dia não conseguiu comer o pão que comprara, apesar do rosto de felicidade de sua mulher a cada mordida que lhe dava, do barulho agradável e crocante que fazia ao ser por ela mastigado, da manteiga que nele se podia ver aos poucos derreter. Não leu o imprescindível jornal, tampouco viu televisão. Ao final da tarde já estava metido na cama. Olhou para o teto umas duas horas até que dormiu um sono sem graça, sem sonhos.

Na manhã seguinte lá estava ele sentado na mesma cadeira, só que agora cortava a unha de uma das mãos, quando a mulher adentrou na cozinha e, balançando vagarosamente a cabeça e torcendo os lábios de uma forma estranha, quase que os colocando em posição diagonal um em relação ao outro, censurou outra vez a falta do pão matinal. Antônio, como um cachorro do qual tentam arrancar o osso que devora, apenas emitiu um rosnar violento e significativo; levantou-se mais uma vez com dificuldade da cadeira, arrastou-se pelo corredor e bateu a porta do quarto. No entanto, nesse dia não trocou de roupa e não foi à padaria; trancou-se em seu aposento e só saiu dali na hora do jantar.

Vários dias se passaram e Antônio pareceu acostumar-se à nova vida. Voltou ao seu jornal e aos seus habituais programas de televisão. Pão, contudo, nunca mais comprou, assim como passou a dormir nu e a andar durante o dia sempre de bermuda e sem camisa, ainda que fizesse frio. Às vezes, porém, escapava para o mundo da repartição, ocasião em que colocava terno e gravata.

Tudo ia bem em seu mundo, até que recebeu um telefonema inesperado naquela tarde agradável em que tudo, inclusive o vento, parecia estar parado.

Convidavam-no para a festa de despedida de Benjamim, antigo companheiro de repartição que também iria se aposentar. Seria na sexta-feira, não poderia faltar de forma alguma, afinal era um dos melhores amigos do Beija, trabalhara com ele quase que uma vida inteira, como diziam. Por fim, encomendaram-lhe um discurso.

Ainda faltavam três dias para a festa, porém mal conseguiu fechar os olhos naquelas intermináveis noites que a antecederam. Pensava a todo instante em não ir, mas se sentia de tal forma covarde e ingrato que afastava rapidamente essa ideia da cabeça. Pegava então um papel e punha-se a escrever o maldito discurso. Nada lhe vinha e a folha terminava sempre vazia ou com alguns rabiscos e desenhos enigmáticos.

Chegou na repartição quando a festa já havia começado e foi efusivamente saudado por todos, mesmo por aqueles a quem nunca concedera pouco mais que alguns cumprimentos formais. Os amigos mais íntimos chegaram a abraçá-lo e a fazer irritantes gracejos acerca de sua nova condição. Não sentia a menor saudade daquelas pessoas, da maioria dos rostos sequer lembrava as feições exatas. Confundia os nomes e somente após grande concentração e esforço recordava-se do semblante de um ou outro subalterno.

Já começava a amaldiçoar o convite recebido, o próprio Benjamim e aquela festa idiota, quando percebeu maravilhado que se postara exatamente ao lado de sua antiga mesa. Com um sorriso contido deslizou a mão pela madeira e sentiu um arrepio lhe perpassar o corpo. Experimentou a cadeira e com grande alívio percebeu que não fora trocada.

Incomodou-lhe um pouco o fato de a plaqueta de alumínio exposta sobre a mesa conter o nome de outra pessoa, ainda mais um nome sem a inscrição "doutor" antecedendo-a, porém, com toda a bagunça provocada por aquela impertinente comemoração, tais erros e trocas fortuitas eram normais e até perdoáveis. Ao final da festa, mas ainda naquele mesmo dia, exigiria que tudo fosse recolocado em seu devido lugar.

Tal reflexão o reconfortou, e pôde tranquilamente observar sentado em sua mesa, que lhe presenteava com um ângulo perfeito, a magnífica arquitetura e decoração do prédio.

Ali naquela posição permaneceu um bom tempo, até que se lembrou do homenageado e passou a procurá-lo. Não foi fácil localizá-lo, mas finalmente o encontrou cercado por várias pessoas que nunca havia visto na vida. Ao vê-lo, Benjamim abriu um largo sorriso e preparou o abraço. No meio do curto caminho que os separava, Antônio sentiu as pernas fraquejarem e arquearem, no entanto conseguiu alcançar os braços amigos.

Após o abraço fraternal, foi dominado por um mal-estar violento, e a gravata começou a cravar-lhe como um espinho na garganta e dificultara-lhe a respiração. Afrouxou-a, mas prosseguia com um nó na traqueia, o suor empapou-lhe a testa e o rosto. Aquele já conhecido e insuportável odor voltou a visitar-lhe as narinas. Não teve alternativa que não se afastar violentamente do amigo. Quando deu por si já estava com o rosto cravado na privada, vomitando o pouco que havia comido naquele dia.

Deixou a repartição sem despedir-se de ninguém, com o terno desalinhado e com a ponta da gravata um pouco suja por minúsculos resíduos de alimentos. Ingressou na estação do metrô ainda atordoado, e foi como se tivesse adentrado num turbilhão quando o trem passou a deslizar pelos trilhos. Parecia que os seus olhos reviravam ao sabor das luzes que passavam rapidamente pelas janelas, o estômago mais uma vez insistia em bater na porta de sua boca. Suportou pouco mais de duas ou três estações, não conseguiu definir ao certo quantas, mas saltou do trem antes que vomitasse em alguém.

À medida que a escada rolante subia e conseguia ver a luz natural, recuperava a respiração e a sobriedade. Tranquilizou-se ao enfim descobrir que estava no metrô Consolação e ao ver toda a avenida Paulista à sua frente.

Decidiu que o melhor era voltar para casa caminhando, e lentamente seguiu seu caminho. Apesar da larga calçada, vez ou outra os esbarrões eram inevitáveis. Mas não foi isso que o impediu de aproveitar o passeio. Não viu particularmente o rosto de nenhuma pessoa que por ele cruzou, nem mesmo aquelas contra as quais se chocou; sequer se apercebeu que dois rapazes que estavam na esquina do parque Trianon convidaram-no para uma diversão a três; nem mesmo o

Masp, sua maior paixão naquela bela parafernália de concreto que era a cidade em que nascera, com suas imponentes colunas vermelhas e sua vasta boca aberta, fez com que seu olhar se desviasse do caminho de casa, que alcançou após uma fatigante caminhada.

Passadas algumas semanas, já recuperado, lembrava daquele dia como quem se recorda de um terrível pesadelo. Nunca passara tão mal em toda sua vida. Uma ânsia incontrolável lhe turvou os olhos e o espírito; experimentara uma temporária cegueira, uma surdez parcial. Sentira-se absolutamente desamparado e inerme. Ainda hoje podia lembrar-se daquela sensação, não que a quisesse consigo mais uma vez, mas ela surgia como se tivesse vida própria e ali estava mais uma vez. Não era uma recordação como outra qualquer, que se conformava em passear fagueira e ingênua pela mente. Vinha em forma de pequenas sensações desagradáveis, como por meio de agudos arrepios em partes estratégicas do corpo – pés, nuca e espinha –, acompanhada de um gosto espesso e acre na boca e na saliva.

Após aquele dia chegou a ficar de fato assustado. Pensou em procurar um médico, porém, temendo descobrir uma abjeta doença oculta que crescesse dentro de si, afastou definitivamente aquela ideia da cabeça.

A única decisão que tomou foi a de dar um novo rumo a sua vida. Teve longas conversas com Benjamim, a quem passou a encontrar com mais frequência, e que lhe parecia disposto e feliz, não obstante às vezes estampasse em seu rosto uma expressão distante e melancólica que até então nunca percebera nele, e que o acompanharia até o fim de sua existência. Além de ter-lhe segredado que passara a andar pelado pela casa, a despeito dos veementes e calorosos protestos de sua esposa.

Seguindo os conselhos de Benjamim, Antônio passou a consumir vorazmente livros de autoajuda, mas logo os abandonou por achá-los superficiais e sem perspectiva, além de, com o tempo, também lhe causar uma certa ânsia aquele falso otimismo que brotava a todo instante de suas páginas.

Teve ainda um breve contato com livros espíritas, recomendados com ânimo por diversas pessoas. Não conseguiu vencer os primeiros capítulos de vários deles; irritava-o aquela ideia, ainda que implícita, de uma espécie de ditadura e burocracia celestial que jorrava de todos eles, chegava mesmo a enjoar-lhe as entranhas.

Aderiu mesmo, e por opção própria, ao jogo de paciência, de tal forma que se tornou um perito no assunto.

E foi justamente durante uma partida de paciência, disputada sobre a mesa da sala de jantar de sua casa, que pela primeira vez experimentou aquela sensação que iria modificar a partir de então a perspectiva dessa sua nova vida.

Naquele dia, enquanto jogava, sentiu um leve intumescimento entre suas pernas. Um inchar bobo e leve que a princípio não chamou sua atenção, mas persistiu tanto e avolumou-se de tal forma que não pôde mais ignorá-lo. Afastou rapidamente a bermuda que trajava e viu seu pênis rijo e ereto como há muito não presenciava. Não sabia como aquilo acontecera de maneira tão espontânea, sem que seu pensamento estivesse voltado para alguma imagem lasciva, direcionado que estava tão somente para as cartas do baralho que tinha diante de si e que o desafiavam contínua e peremptoriamente. Voltou a concentrar-se com fervor no desafio que tinha pela frente, virou as cartas de forma paciente, mas sequer as viu passar diante dos olhos.

O pênis inchado e grosso, pulsando como um ser autônomo dentro das calças, ordenou que buscasse seu quarto, onde se masturbou prazerosamente.

Nos dias que se seguiram, ruborescia só de pensar na ação que praticara. Sufocava e tolhia, logo no início, quaisquer novos indícios daquela luxuriante sensação a quem fora novamente apresentado. Mas certo dia ela superou os freios morais que o prendiam e foi maior que toda a sua força interior: Antônio mais uma vez não se conteve e voltou a satisfazer-se com as próprias mãos.

A partir de então, descobriu que aquele desejo lascivo o visitava em dias espaçados; não escolhia entre dias de semana ou fim de semana, porém cismava que somente não conseguia vencê-lo nas datas ímpares.

No entanto, rapidamente, tal inócua superstição foi esquecida, porquanto, não obstante a feroz resistência interior, entregou-se de corpo e alma àquele lúdico prazer e fez-se assíduo praticante do onanismo.

Podia ser flagrado no meio da casa, alheio a tudo e a todos, com um sorriso bobo no rosto e um olhar perdido no vazio, exatamente como um adolescente que acaba de descobrir a função daquele pedaço de carne que possui entre as pernas.

No começo, masturbava-se uma vez ao dia. Preferia fazê-lo ao cair da tarde, quando o cheiro das flores era mais forte e o calor, menos intenso. Com o tempo, passou a satisfazer-se três vezes ao dia, em geral uma vez em cada período, mas a que mais lhe proporcionava prazer era indubitavelmente a masturbação vespertina.

Com a vasta experiência obtida em seus longos anos de vida, não necessitava de estímulos exteriores. Possuía tudo o que precisava ali mesmo ao seu alcance, bastava vasculhar o grande baú de recordações. Mas a verdade é que poucas vezes pensava em alguma mulher ou situação específica, dançavam em sua mente imagens várias e distintas que se misturavam e o faziam feliz, e que muitas vezes nada tinham a ver com sexo. O único auxílio externo fora a aquisição de um creme importado e especial, cuja propaganda vira em uma revista, e que lhe proporcionava um deslizar suave e macio das mãos, evitando qualquer atrito mais rude que lhe diminuísse o prazer.

Abandonara em definitivo o jogo de paciência. Não porque lhe faltasse ânimo. A sua nova atividade não lhe sugava energia, em vez disso lhe redobrara o vigor. Passara a praticar caminhadas, voltara a jogar tênis com os velhos parceiros e a brincar frequentemente com os netos, dos quais havia se afastado.

Até então, a mulher de Antônio não se dera conta ou mesmo não se preocupara com as repentinas e profundas transformações pelas quais passara o marido nos últimos meses.

Certo dia, porém, ao acordar e entrar na cozinha, surpreendeu-se ao ver novamente o pão disposto de forma caprichosa em cima da mesa do café da manhã. Espanto maior experimentou ao observar que o mesmo pão retornara a fazer parte da dieta do marido, que o mastigava com desmedido prazer, tanto que uma pequena porção de manteiga escorria-lhe por um dos cantos da boca, o que foi suficiente para lhe causar uma ligeira náusea.

Nesse dia foi ela que não conseguiu tomar o café. Uma agitação incontrolável lhe assomou o espírito e, já no final da tarde, uma obsessão a dominava por completo: descobrir o que se passara com o marido.

Não foi necessário contratar um detetive, tampouco realizar minuciosas investigações. Bastou guardar mais amiúde seu companheiro.

Após dias de intensa vigília, de suspeito quase nada descobriu na conduta de seu marido, apenas frequentes e demoradas incursões ao banheiro da casa ao longo do dia. Sem horários precisos, como pôde observar, mas as visitas ocorriam religiosamente pelo menos uma vez em cada período. Percebia que à tarde a estada no banheiro se prolongava em demasia, diferentemente da manhã e da noite.

A distância e com extremo cuidado para não chamar atenção de Antônio, passou a perscrutá-lo quando saía do banheiro. Rosto sereno e plácido. Um rio calmo e de águas claras. Tentou olhar pela fechadura, mas logo descobriu que algo era propositadamente pendurado na maçaneta interna, e via apenas um fundo negro que a cegava. Colou o ouvido à porta; nenhum ruído mais forte lhe chamou a atenção. Passou dias a fio abraçada àquela porta e a única coisa diferente que percebeu foi um odor distinto, macio, agradável, de alguma flor que não conseguia definir.

Uma mistura de horror e curiosidade a dominou e voltou a olhar compenetrada e profundamente os olhos de seu marido como há muito não fazia. Eles continuavam grandes, belos, negros e envoltos por uma grande parede branca que sempre os impediam de fugir da retina.

Pensou em fazer uma cópia da chave do banheiro e ali entrar à força, mas aquilo lhe soava como uma ignomínia, um ato que não se adequava ao seu temperamento e aos princípios morais que sempre nortearam sua vida.

Um dia, entretanto, quando mais uma vez se encontrava com a cabeça recostada naquele travesseiro de madeira, assustou-se ao notar que Antônio esquecera de fechar a porta do banheiro. Um estremecimento lhe percorreu o corpo. Era a chance que por muito tempo aguardara. No entanto, não conseguia dela se aproveitar. Não conseguia abrir a porta. Embora fizesse grande força, suas mãos não lhe obedeciam e teimavam em colar-se ao corpo, como se estivessem a ele atadas. Resignou-se. Desistiu. Porém, aproveitando-se de um momento de distração de seu medo, que já se vangloriava vencedor, girou a maçaneta e irrompeu no banheiro.

Ao ver-se ali dentro, constrangeu-se. A cena que via não era nada demais: Antônio em pé, assustado, alçando a cueca e a calça rapidamente. Fez-se vermelha, desculpou-se e virou as costas; bateu a porta insultando a si mesma. Entretanto, já no corredor, uma imagem que lhe passara velozmente pelos olhos, voltou à sua mente e a fez invadir novamente o banheiro. Como uma desvairada, caiu de joelhos em frente de seu marido e violentamente lhe arrancou a calça e a cueca. Segurando seu pênis mole, perguntou-lhe, já sabendo a resposta, o que significavam aqueles restos úmidos de papel higiênico grudados em seu órgão genital.

Antônio, desconcertado, descartou as inúteis mentiras. Entre lágrimas contou-lhe tudo. Desde os dias miseráveis que passou tão logo deixara a repartição, até a descoberta do onanismo.

A mulher, horrorizada, desferiu socos em seu peito, amaldiçoou-o e por fim o xingou de pervertido, porco e descarado. Em seguida, deixou o banheiro em desabalada carreira, entrou em seu quarto e atirou-se sobre a cama.

Durante a noite, após muito insistir, ela teve um sono difícil, pesado e regado de sonhos sujos.

Na manhã seguinte, acordou no horário habitual. Lavou-se e dirigiu-se à cozinha. Cumprimentou Antônio, que já havia acordado de uma noite mal dormida no sofá, comprara o pão e estava à mesa. Tomaram café em silêncio. Tudo parecia exatamente como sempre estivera. Mas quem observasse a mulher de Antônio por debaixo da mesa, notaria que ela mantinha uma mão inquieta por dentro da camisola que vestia, presa entre suas pernas e que passeava pelo seu ventre. As pernas, por sua vez, iam e vinham com lentidão, num movimento compassado e ritmicamente coordenado, abrindo-se e fechando-se, pressionando de maneira proposital aquela mesma mão contra si.

E quem olhasse ainda mais atentamente para o seu rosto, veria um imperceptível sorriso no canto de sua boca.

O CANTO DA REDE

Nhec, nhec, nhec...
　Mais forte. Mais forte. Queria dizer aquela frase à sua mãe. Queria mais força do braço dela para impulsioná-lo. Mas nenhum som saía da sua garganta, embora fizesse os movimentos corretos para expelir a voz. Sentia inclusive a sua boca mexer, porém emitia apenas um grunhido contínuo e uniforme.
　E o barulho por ele emitido se misturava àquele rangido, nhec, nhec, nhec, e formava uma melodia única e perfeita que não podia cessar, e por isso precisava pedir à sua mãe para não parar de embalá-lo. Mas, ao mesmo tempo, tinha a noção de que se falasse com ela, pararia de forma momentânea de emitir aquele ruído, que obviamente não mais se misturaria ao rangido inicial, e toda aquela harmonia iria por água abaixo.
　Talvez por isso o seu corpo o boicotasse, permanecendo estagnado entre o ímpeto de dirigir à mãe a frase que passeava em seu cérebro e a impossibilidade de articulá-la.
　No entanto, esse desejo durava poucos segundos. Aquele ranger logo o embalava de novo e o lançava longe dali. A milhares de quilômetros de distância daquela miséria,

daquelas ruas esburacadas, muros pichados, música alta e cheiro acre no ar. Podia agora sentir o cheiro da grama fresca e perfeitamente aparada, na qual sempre correra de forma tão elegante que mal tocava nela. Sabia que era pecado, até uma heresia, mas ao ver-se correndo, enxergava a imagem de Jesus caminhando sobre as águas.

Preparava-se para atingir o fim daquele campo, já sabia onde ele daria e mal conseguia esperar para alcançá-lo, afinal ali já chegara incontáveis e prazerosas vezes, mas uma nervosa mão fez cessar o ranger manhoso, e um chacoalhão quase o fez cair da rede em que estava instalado. E o balanço foi substituído por uma reprimenda vinda de uma voz feminina que em nada parecia com a de sua mãe. Não conseguiu escutar o início da frase, mas o final o fez saltar da rede instalada na varanda da casa de um pulo só, que após tantos anos e dores pensava não mais ser possível executar.

— ... Gilberto, você roncando a plenos pulmões e o menino já quase abrindo o portão da casa e indo para o meio da rua; isso porque ele está engatinhando ainda, imagina quando estiver andando. Emprego que é bom, nada! Você devia é parar de ser orgulhoso e aceitar as tantas propostas que o Romildo te faz.

Preferiu primeiro pegar a criança no colo e, quando se virou para responder, não viu mais ninguém. Nem sombra de sua mulher havia mais ali. Talvez ela também fizesse parte de seu sonho.

Juntou uns brinquedos nas mãos, pousou o filho no chão, ao lado da rede, esparramou os brinquedos junto a ele e voltou a deitar-se.

Não conseguiu mais dormir. Olhava a criança sentada no cimento, ora distraída com um brinquedo, ora ocupada em levar algo à boca, e em seguida fechava os olhos por cerca de um minuto, sem pensar em nada; para certificar-se de que o moleque não fugira de seu raio de ação, abria-os rapidamente, dava uma conferida ao redor e voltava a cerrá-los por seus sessenta segundos imaginários.

Numa dessas olhadelas, deu de cara com o já conhecido menino de recado parado diante de seu portão. Magricelo, alto, negro, com olhos grandes e mais negros ainda saltando das órbitas. Eram tão saltados que, embora estivesse estacado na entrada da casa, a quatro metros de distância, parecia que estava ao seu lado na rede.

— Giba, o Romildo mandou dizer que está contando com você para hoje à tarde. Quatro horas. Nem preciso dizer que não deve se atrasar. Tudo avisado na farmácia do Carlão. Só passar lá e, sei lá, você já sabe, está mais que acostumado com todo o procedimento. E pode pegar o que você quiser para a sua mulher e as crianças lá também.

Era engraçado que, apesar daquela cara esquisita, as ordens que não davam muita margem à discussão trazidas por ele eram comunicadas com uma voz macia, uma voz de menino de coral. Era como se estivesse dando um simples bom-dia ou mesmo o convidando para uma festa.

O seu semblante de insatisfação provavelmente já transmitira ao menino o que ele pensava daquilo tudo. Nem precisava dizer que não estava com a menor intenção de sair de casa, tampouco de atender àquele pedido. Que não gostava mais de participar daquele jogo. Que não era mais para ele. A sua fase já tinha acabado. Só queria ter paz e esquecer que um dia ganhara a vida fazendo aquilo.

O menino de recado logo o interpelou, sem alterar a sua impostação de anjo:

— Não há como escapar. Romildo não irá te perdoar. Na verdade, ninguém daqui vai admitir uma desfeita dessas. Todos irão te olhar torto depois. Não esquece que você tem mulher e filhos que vivem aqui. A rivalidade com as outras comunidades é cada dia maior. Faz a tua parte. Faz o que você sempre soube fazer bem. Acaba com os inimigos.

Depois dessa última frase, Gilberto esquadrinhou o pequeno jardim que ficava à esquerda de quem entra pelo portão da casa, a grama rala e as poucas flores que ali cresciam, buscou com o olhar o filho, que agora engatinhava animado no cimento atrás de umas formigas e, mais uma vez, fechou os olhos e passou a contar mentalmente um minuto. Só que agora não conseguia não pensar em nada. "Faz o que você sempre soube fazer bem. Acaba com os inimigos." Essas duas frases passaram a martelar em sua cabeça naquele momento em que desejava apenas cerrar os olhos e esquecer tudo, ter a mente apagada, num breu total, como se estivesse trancado num quarto cujas janelas estivessem lacradas com *blackout*. Em vez disso, elas trouxeram à tona cenas e lembranças que não queria mais visitar. Incrível como em poucos segundos o cheiro do campo, o intenso barulho, os gritos, os abraços e risos, os insultos e xingamentos, e até o som do aerossol sendo espirrado e o seu odor ardido inundando-lhe as narinas e a garganta vieram fazer-lhe novamente companhia. Mesmo de olhos fechados, flagrou-se rindo e, de forma abrupta, os abriu pronto para escorraçar aos berros o pombo-correio negro de voz aveludada, mas não havia nem mais resquício dele ali.

* * *

Entrou na farmácia pontualmente às três da tarde. Sem cumprimentar ninguém, deixou a mochila que trazia às costas no balcão, e foi direto para a pequena sala ao fundo, seguido imediatamente pelo próprio dono. Olhou as paredes descascadas, as manchas de mofo no teto, e, sem se dar ao trabalho de sentar, apenas levantou a calça do agasalho até a altura do joelho da perna esquerda. Esperou a agulha penetrar a sua pele e a droga encontrar a corrente sanguínea, para enfim esparramar-se por todo o seu corpo.
Permitiu-se ficar alguns minutos com os olhos fechados, em pé, absolutamente imóvel, tal qual um monge meditando. Passado esse tempo, abaixou o agasalho, saiu do cubículo, ganhou o cômodo principal, apanhou a sua mochila e cruzou a porta da saída sem despedir-se de ninguém e sem ao menos olhar para trás, deixando naquela farmácia decadente, que nem mesmo letreiro possuía, não apenas as suas dores, mas também a sua própria decadência.

* * *

Para alcançar o local em que todos o esperavam, precisou da metade do tempo que levara para ir de sua casa até a farmácia.

"Da próxima vez, vou exigir que me apliquem a injeção lá em casa mesmo, assim não vou precisar vir arrastando esse joelho de merda até aquela farmácia vagabunda", pensou.

Talvez tenha pensado em voz alta, pois reparou que olhos curiosos viraram imediatamente para ele. Contudo, logo percebeu que ainda não estava maluco e não havia falado sozinho, pois tratava-se apenas de alguns garotos e adolescentes que já tinham ouvido falar muito nele ou mesmo o tivessem visto, mas nunca pessoalmente. Apontavam-no e o miravam de cima a baixo, com olhos intrigados e de indisfarçável admiração.

De repente, do nada, alguém passou veloz à sua frente e, sem nada dizer, disparou fortemente contra ele uma sacola. Era o menino de recado. Ria escancaradamente com seus dentes alvíssimos. Sua boca lembrava aquelas colchas brancas que as lavadeiras da comunidade colocavam para secar nos varais improvisados nas janelas dos barracos. Via-se que estava feliz.

Assim como saltara com agilidade da rede de manhã, também segurou habilmente a sacola com uma das mãos. Agora não quis xingar o menino.

Caminhou para longe de todos e sentou-se num local onde viu que realmente não havia mais ninguém.

Agora não dava mais para voltar atrás. Não tinha mais escolha. "Danem-se os fantasmas", pensou mais uma vez, como sempre fazia quando se colocava naquele mesmo local e naquela mesma posição. E outra vez começou o seu velho ritual.

Primeiro, tirou a calça do agasalho. Não se importou que havia centenas de pessoas ali e que a maior parte morava na comunidade. Trajava a bermuda térmica por baixo e ela parecia um short normal. Pegou a sacola que o menino de recado lhe lançara e de seu interior retirou um calção, que tranquilamente vestiu. Em seguida, enfiou a mão e pegou a camiseta que trazia no peito o símbolo do bairro. Virou-a do lado contrário para conferir o número que ostentava. Lá estava: o seu 7. Na verdade, ele não correspondia à real posição que ele ocupava naquela engrenagem, mas sempre se negou a vestir a camisa 10. Admirava os números ímpares.

Transmitiam-lhe a ideia de uma perfeição torta, temperamental, genial, porém fora do quadrante, escapando amiúde da estrada, descobrindo um atalho, mas sempre voltando ao caminho do objetivo a ser conquistado, aparando as arestas e driblando os obstáculos, como sua perna esquerda. Os números pares, por sua vez, davam-lhe a sensação de uma correção estética sem graça, certinha demais, sem picardia, sem elegância e, ainda por cima, passavam-lhe a imagem de uma soberba besta pelo simples fato de a ordem dos números começar por um número par, ainda que ele não valesse nada.

Por isso negou o 10 e, desde a primeira camisa que vestira, escolhera o 7. Embora também ímpares, ao olhar o 9 e 11, estes o sufocavam, traziam-lhe um sentimento de aprisionamento, ao passo que o 7 transmitia e proporcionava uma leveza a ele, permitindo-lhe flutuar por todos os cantos, todos os atalhos do campo, dando-lhe ares de onipresença.

Vestiu-a como quem coloca um traje feito sob medida.

Por fim, colocou as meias, posto que as proteções nos pés e tornozelos já providenciara antes de sair de casa, e então lançou mão da mochila surrada que trazia consigo. Abriu o zíper e dela tirou cuidadosamente a sua antiga chuteira, companheira já de alguns anos. Usava-a apenas em ocasiões especiais. Tantas foram as vezes que chegou aos ouvidos de sua mulher e aos dele também o comentário que corria na comunidade de que a tristeza e a amargura o estavam deixando louco. Afinal, em inúmeras oportunidades fora visto dando voltas no campo vazio, trajando roupa normal, porém calçando as velhas chuteiras, que arrastava junto com suas pernas. Ria de todos. Uns tolos. Não estava nem aí para a falação alheia. O importante era mantê-las macias, moldadas à forma de seus pés e sempre em contato com o cheiro da grama, para nunca esquecerem o caminho correto que deviam seguir.

Calçou-as e fez a amarração tradicional, aquela que seu velho pai o ensinara ainda criança, com apenas um dos joelhos flexionados na terra junto a ele, ordenando-lhe que repousasse o pé direito sobre a coxa dele, confeccionando assim o laço perfeito, como se finalizasse o embrulho do mais belo presente que ofereceria à sua mãe. Já o pé esquerdo cabia ao filho, que devia repetir quantas vezes fossem necessárias aquela operação até o cordão daquele pé ficar igual ao outro.

Ficou em pé. Estava pronto. Sentiu às suas costas todos os olhares, inclusive o de Romildo. Não precisava se virar, sabia exatamente onde ele estaria, no lugar de sempre, com os braços cruzados sobre o peito, mudando-os de posição apenas para levar o copo de cerveja à boca, rodeado de capangas e puxa-sacos.

Caminhou pela linha lateral até o banco de madeira onde estavam sentados um rapaz gordinho com uma pequena mala de primeiro-socorros e um spray de aerossol nas mãos, e um homem mais velho que ele, de cabelos grisalhos, alto e forte, trajando um agasalho bonito, também com o símbolo da comunidade, mas que nunca ousava lhe dirigir a palavra. Ali arremessou a sua velha mochila.

Em seguida, ingressou calmamente e de cabeça erguida no campo, cumprimentou os seus companheiros e passou a aquecer-se sozinho.

Assim como agira em toda a sua carreira, ignorou o cara ou coroa, o sorteio do lado do campo, e a primazia em tocar primeiro na bola, questões burocráticas e com as quais sempre fez questão de nunca perder tempo ao longo de sua vida.

Só acordou quando escutou o soar estridente do apito do árbitro. Giba sentiu como se estivesse desacordado e um médico acabasse de lhe fazer uma massagem cardíaca e lhe trouxesse de volta à vida. Arregalou os olhos, respirou fundo todo o ar que pairava por ali e foi viver.

Como sempre acontecia, em poucos minutos sentia que não tocava mais o chão. Suas passadas ficavam mais largas, e um pé mal tocava a grama e já o outro seguia adiante e continuava a corrida, como aqueles quenianos que sempre via ganhando todas as corridas mundo afora, nas intermináveis horas que ficava à frente da televisão nas concentrações antes dos jogos.

Mas hoje, infelizmente, ainda que desse um *sprint* e disparasse rumo ao gol adversário, não era mais capaz de extrair da plateia a interjeição de espanto que ouvia em uníssono, tal qual um coral afinadíssimo, e que sempre o impulsionava e fazia com que buscasse do fundo da alma um último fôlego. Agora, nesses raros momentos, tinha que contar apenas com o incentivo de seu próprio e já fatigado corpo.

Por outro lado, o que ainda excitava a assistência era a forma com que ele domava a bola, viesse ela da forma mais rebelde e rude que se possa imaginar. Torta, girando, em espiral, das alturas. Morria sempre em seu pé, junto à grama, já mansa, ou sobretudo em seu peito, que sem nenhum esforço puxava o ar à medida que se recolhia um pouco para trás, encurvando-se para dentro, e a amortecia, fazendo-a dormir alguns segundos em seu colo, antes de cair e render-se suave a seus pés. Nesse instante, o espectador, fosse ele ou não da comunidade, ciente de que a excelência e a nobreza de um grande jogador se medem pela destreza com que ele domina a bola, finalmente soltava um oooohhh que parecia ter sido de antemão combinado por todos.

Naquela tarde várias foram as participações dessa natureza das pessoas que agora já se apertavam na pequena arquibancada improvisada de madeira, ou junto à grade que circundava o campo, ou mesmo junto à linha lateral, para acompanhar o jogo.

E puderam acompanhar também a sua ginga e os seus dribles desconcertantes. Ora ameaçava seguir à direita e saía à esquerda; ora girava o quadril para a esquerda e fugia pelo lado oposto.

Em certo momento o que se viu se assemelhava àqueles documentários de animais que habitam a savana africana. Ele, o cervo ágil e belo, e os adversários, os leões; mas, diferentemente do que se via na televisão, as feras não o alcançavam, não o detinham e muito menos o devoravam.

Mas, passado algum tempo, o espetáculo que se desenvolvia no campo se distinguia dos documentários em um aspecto essencial, pois em um determinado momento, ali, naquele campo, a caça definitivamente virava o caçador.

Assim como o fora de série domina a arte de aparar a bola, também sabe revidar a agressão, mas sempre sem perder a classe ou ser flagrado agindo dessa maneira.

E vemos então a sola de seu pé direito levantando-se discretamente e protegendo-se de um chute contra ele desferido, e ferindo o pé maldoso.

E o que era um documentário se torna um show de mágica, ou melhor, de ilusionismo. Ele oculta o cotovelo, que gira de forma rápida e atinge o seu algoz entre os olhos e acima do nariz, mas os olhares dos espectadores e do árbitro estão hipnotizados pelos seus pés e seus dribles, e não entendem por que o seu marcador, um homem forte, viril, um verdadeiro brutamontes cai estatelado sozinho no chão.

E permeando esse balé todo, havia o farfalhar da rede, chuá, chuá, chuá, o som que antecipava o grito de todos.

Desde sempre ele carregou dentro de si uma filosofia e, tantas quantas foram as vezes que surgiu a oportunidade, a defendeu, apesar de despertar o riso de todos. Na verdade, inicialmente, os outros riam, mas depois ficavam de fato espantados com a sua veemência ao defender a tese de que o gol só deveria ocorrer se a bola tocasse e morresse na rede, e a fizesse balançar e produzir aquele som mágico, e não apenas se ultrapasse a linha demarcatória. Aquela linha era um mero detalhe. Uma linha do equador imaginária. O que faria valer o gol seria o farfalhar da rede e o calor que emanava daquele singelo som, e que, fosse para o bem, fosse para o mal, contagiava a todos.

E fora aquele som que o seduzira e o impulsionara vida afora. Desde pequeno pensava nele como o canto da sereia, pois quando viu o mar pela primeira vez, sua mãe, temendo que se aventurasse muito longe na água e se afogasse, disse-lhe que se fosse muito para o fundo, escutaria a música produzida pela sereia, e, por ser ela muito encantadora e irresistível, inevitavelmente o conduziria até o fundo do mar para vê-la cantar e ele então morreria afogado. Naquele dia não deixou a água ultrapassar a altura da cintura, embora tenha sonhado com a sereia e seu canto o resto do mês.

Quando criança, seus amigos, e mais velho, os outros atletas, sempre estranharam a sua maneira peculiar de comemorar os gols que marcava. A bola vencia o goleiro, entrava plena no gol, mas ali permanecia ele, parado, olhos fixos no fundo da meta, ouvidos aguçados e, só após alguns demorados segundos, o sorriso lhe escancarava na face e era capaz de dividir o seu prazer e a comemoração com os colegas e o público.

E naquele dia ele produziu e escutou três vezes aquele farfalhar macio, elegante, que encheu os seus ouvidos e o seu coração de paz e alegria durante poucos segundos, mas que para ele funcionava como uma faísca que acendia um fogo interno que queimaria dentro dele e o aqueceria por semanas.

E a comunidade, já acostumada, numa perfeita simbiose, mas sem entender a razão daquilo, por três vezes também ficou em absoluto silêncio, mesmo após o gol marcado, e só depois de observá-lo sorrindo e correndo, vibrou e soltou o seu grito.

* * *

Finda a partida, Giba recebeu os cumprimentos dos companheiros e adversários e dirigiu-se ao banco para recuperar sua mochila, dentro da qual rapidamente guardou a chuteira, recolocando em seguida o tênis e escapando o mais depressa que pôde da euforia das pessoas, que queriam tocá-lo.

Dessa vez não foi possível escapar aos olhos de Romildo, que fez questão de passar ao seu lado, sorrir para ele e acenar com a cabeça, em sinal de aprovação. Não esboçou qualquer reação, tampouco retribuiu o gesto. Seguiu o caminho de casa, deixando para trás a multidão, que agora só pensava em beber e comemorava gritando em coro "Romildo, Romildo, Romildo", pouco se importando com a sua presença.

Mas não seguiu direto para a casa. Parou no mercado, onde o dono já o esperava. Simpático e subserviente, ele lhe mostrou as diversas sacolas lotadas que sua mulher, que ali passara pouco antes, deixara separadas, e o lembrou que ainda poderia fazer umas duas ou três compras como aquela com o crédito que havia sido feito em seu nome naquela mesma tarde. Apanhou o que era possível e pediu para que entregassem o resto depois. Quando já estava prestes a virar a esquina da rua, pôde escutar o proprietário gritar em sua direção, parabenizando-o, mas já não tinha o menor interesse em ouvir.

Chegou em casa e encontrou tudo como deixara. Apenas reinava um silêncio pouco comum. Suspeitou que a mulher e as crianças não estivessem. Deixou as sacolas de compras no chão e abriu a geladeira. Vasculhou o seu interior e descobriu que a mulher se lembrara de comprar a cerveja da marca que ele gostava. Animado, abriu o freezer e lá encontrou outras duas garrafas já geladas, na temperatura ideal. Buscando repor todo o líquido que perdera, com urgência esvaziou a primeira garrafa. A segunda preferiu sorver devagar, sentado na mesa da cozinha, olhando para o nada e saboreando cada gole à medida que se recordava, já com nostalgia, de cada detalhe daquela tarde.

Enfim, tirou toda a roupa e seguiu para um banho demorado e quente.

Embora mal tivesse anoitecido, Gilberto vestiu-se com o pijama, caminhou até a varanda da casa e parou diante da rede na qual estivera durante toda aquela manhã.

Pelo jeito não era mais tão forte para beber. Duas cervejas e já encontrava dificuldades para subir sozinho na rede? Já havia passado tempo suficiente para elas produzirem o seu efeito? Tentou mais uma vez, porém percebeu que a perna esquerda não lhe obedecia. Estava prestes a desistir, quando sentiu a presença de alguém atrás de si e logo percebeu que sua mulher o apoiava carinhosamente, abraçando-lhe as costas e pousando uma das mãos sob o seu braço direito, auxiliando-o a deitar-se na rede.

Será que ela e as crianças haviam chegado enquanto tomava banho? Como poderia ter estado tão absorto que não percebera a chegada delas? Realmente ficara preocupado com aquilo, mas já não havia mais espaço para aqueles questionamentos. A rede já abraçara o seu corpo por completo, não sentia mais o cansaço e nem o peso nas pernas que costumeiramente o acompanhavam quando corria ou permanecia longos períodos em pé. Invadia-lhe apenas um formigamento prazeroso que o anestesiava desde os pés até a cabeça.

Já ia se preparando para, mesmo deitado, como estava acostumado, impulsionar o seu próprio corpo e fazer a rede balançar ao sabor da força e do esforço por ele gerado, mas dessa vez não foi necessário. Foi coberto pela sombra da mulher, que, delicadamente, se abaixou sobre ele, beijou o seu joelho esquerdo e, em seguida, endireitou o seu corpo e, colocando as duas mãos sobre umas das extremidades da rede, passou ela mesma a embalá-la.

Ele sequer teve tempo de agradecê-la. Já ia e vinha no espaço com os olhos fechados. Só que dessa vez não escutava o costumeiro ranger da rede, nhec, nhec, nhec, mas sim o seu farfalhar, o seu afago, o seu canto, chuá, chuá, chuá, que o embalou até enfim pegar no sono, com um sorriso nos lábios.

O BEIJO PARTIDO
—

O ARREBATAMENTO

Até hoje não entendo por que eles me escolheram. Ou melhor, por que ela me escolheu. Já foi a nossa época. Somos, por assim dizer, contemplativos e observadores, características que não combinam com os dias de hoje. O nosso lugar atualmente se resume aos consultórios médicos e clínicas de vacinação, onde apenas assistimos e nos solidarizamos aos olhares apreensivos e temerosos não apenas das crianças, mas também dos adultos que ali chegam. Compreenderia, portanto, se tivesse sido levado para um desses destinos.

Por isso ainda lembro, mais que isso, ainda hoje sinto a apreensão que tomou conta de mim quando aqueles olhos grandes, apesar do corpo franzino de menina, se fixaram em mim e, sem se desviarem dos meus, fizeram com que suas mãos alcançassem e agarrassem os braços e pernas de duas figuras grandes, e só os soltassem quando fui tragado por um plástico cheio de água e parasse naquelas mesmas mãos miúdas, que me conduziram rua afora, sob um sol abrasador, num ritmo que me lembrou o balanço do mar, no qual, não obstante fosse meu hábitat natural, nunca havia estado.

Apesar de ter percebido isso apenas muito mais tarde, o fato de ela ter me proporcionado essa sensação e uma lembrança do meu verdadeiro mundo que jamais conheceria, compensou os momentos de claustrofobia e os solavancos e cabeçadas durante o trajeto até o meu novo lar, que certamente custariam a minha vida caso a natureza do objeto que represava a pouca água que me continha não fosse de plástico, além de ter feito nascer um vínculo que mesmo depois de sua inexplicável partida ainda me une a ela.

Mas logo me senti confortável quando fui lançado para um recipiente de vidro, que não era tão grande quanto àquele que habitava anteriormente e no qual ia e vinha de um lado para o outro observando todos aqueles outros bichos à minha volta, porém era muito mais amplo e, sobretudo, mais seguro que um simples saco plástico.

E agora não apenas a menina me fitava, mas também duas pessoas adultas, um homem e uma mulher, os mesmos cujos braços e pernas foram agarrados por ela pouco antes de me arrebatar e me trazer para a minha nova casa. Todos curiosos e atentos aos meus movimentos simples e graciosos. Como já estava habituado a todos os tipos de olhares desde que vim ao mundo, segui indo e vindo para lá e para cá o resto daquele primeiro de muitos estranhos dias.

A CONVICÇÃO DA ESCOLHA

Dada a minha natureza e, por conseguinte, minha noção de tempo um tanto vaga e imprecisa, não sei quanto tempo depois ganhei uma casa muito maior, com pedras, cores, cascalho e uma infinidade de possibilidades e brincadeiras. Mas o que mais me chamava a atenção era a disciplina da garotinha. Sempre no mesmo horário abria a porta e surgia da rua, trajando a mesma sainha ou bermuda roxa e uma camiseta branca guarnecida com um símbolo colorido; lançava sobre o sofá da sala uma pequena mochila que trazia às costas, pegava o saquinho que continha a minha comida, puxava uma cadeira e a postava diante do móvel em que fora montada a minha casa. Em seguida, nela subia e lançava sobre a água o meu almoço. Não satisfeita em me observar comer, contava todos os acontecimentos de seu dia.

Não sei se pelo meu ininterrupto hábito de ir e vir o tempo inteiro, toda vez que a via ali desfiando o seu dia para mim, aquele meu pensamento inicial retornava e me perguntava por que ela me escolhera.

É certo que um gato não combinaria com ela. Não teria a paciência de ouvi-la contar todas as suas peripécias diárias, tampouco suportaria a indiscrição de almoçar sempre sob os seus olhares.

Por outro lado, por que, como quase todas as outras crianças, não quisera um cachorro? Via-se que ela possuía uma energia sem fim e iria adorar passear mais de uma vez com ele enquanto lhe contasse as suas aventuras. E sabe-se que cachorros conseguem ouvir a mesma história quantas vezes elas forem narradas.

Às vezes pensava que o cachorro não lhe tivesse sido permitido porque causaria mais bagunça e contratempos, mas, olhando a casa, o que eu fazia muito bem durante todo o dia, percebia-se que essa não era uma preocupação muito grande de seus pais. A sala estava constantemente desarrumada e só brilhava quando surgia aquela mulher mais velha, elegante e bem vestida, que tão logo abria a porta balançava a cabeça várias vezes em sinal de reprovação e já começava a colocar todas as coisas em seus devidos lugares, ralhando em voz alta com a filha que ali morava e estava em algum outro cômodo, enquanto o homem da casa saía apressado pela porta da área de serviço.

A irritação e as palavras reprovadoras daquela senhora só cessavam quando a menina aparecia na sala e corria em sua direção, aninhando-se diretamente em seus braços, desarmando-a de tal forma que ela esquecia por completo do assunto que discutia com a filha.

Portanto, não fora uma imposição, a menina me elegera. Talvez porque ela intuísse que o cachorro apenas fosse ouvir as suas histórias, entrando por uma orelha e saindo por outra, ao passo que eu as escutava com o mesmo e inédito prazer, fossem elas repetidas ou não.

A FAMÍLIA IDEAL

Embora não tivesse ninguém para nadar ao meu lado, nunca me senti solitário. Muito pelo contrário. Aquele era o meu mundo. E ele não se restringia apenas ao espaço rodeado de água e protegido por um vidro: ele se estendia para além, ganhava aquela sala, o sofá espaçoso e confortável com três lugares diante do qual havia uma televisão de tela grande e, ao lado, uma mesa com quatro cadeiras, bem como um grande espelho e um aparador sobre o qual havia vários porta-retratos. Alguns com fotografias apenas do casal sempre abraçados e sorrindo à frente de paisagens distintas; outros apenas com a garota nas mais variadas e divertidas poses e, por fim, com os três juntos. Na verdade, o meu mundo abarcava tudo o que a minha vista alcançava e os meus ouvidos percebiam. E aquela agora era a minha família. Antes, quando rodeado por tantos animais, além de pessoas que entravam e saíam o dia inteiro por aquela grande porta de correr daquele mundo em que habitava, não havia comida que conseguisse preencher o vazio que não sabia de onde vinha, como se um buraco estivesse sendo cavado dentro de mim. Agora, bastava aquele farelo que a garotinha sempre despejava sobre mim toda vez que retornava com aquela roupa de sempre e já me sentia pleno.

E havia também os jantares em família. Sim, porque diferentemente do almoço em que comia sozinho, toda a noite eles se sentavam religiosamente juntos e se serviam de várias coisas à mesa. Mas não se limitavam apenas a mastigar. Conversavam, riam e se tocavam fazendo brincadeiras uns com os outros. E, quase sempre, no meio disso tudo, a menina se virava e apontava para mim, ora fazendo um elogio, ora dizendo um inocente gracejo, ora deformando a própria boca e criando um bico que ela abria e fechava ininterruptamente, imitando a maneira como eu respirava ou comia. E daí os demais também olhavam em minha direção e gargalhavam.

Também assisti a muitos filmes desde que cheguei à minha nova casa. Quando menos esperava, via os três se acomodando no sofá em frente à televisão, a garotinha sentada entre o casal e um balde passando de mão em mão. Ficavam ali horas, falando, rindo e colocando um a cabeça no ombro do outro, o que me irritava, visto que eu utilizava justamente o espaço entre as cabeças para os meus olhos alcançarem a tela. O colorido e as imagens se alternando uma a uma, num eterno vaivém, me traziam a lembrança do mar, que eu conhecia mesmo sem ter nadado nele.

O que sempre me deixava surpreso e boquiaberto nessas ocasiões, ainda que essa ação se repetisse muitas das vezes em que os três ali se instalavam para ver filmes, era a rapidez e a velocidade com que a menina, sem dar nenhum aviso gestual, virava-se entre os pais, saltava do sofá, corria em minha direção e, a distância, como crianças brincando de bola ao cesto, antes que os braços do pai a impedissem, arremessava com precisão uma pipoca que ia pousar ao meu lado. Embora não gostasse do sabor e soubesse que aquilo não era alimento para mim, participava do seu jogo e, para o deleite dela, antes que a mão adulta avançasse com uma espécie de coador para acabar com a brincadeira e retirar a pipoca dali, dava-lhe umas boas bicadas, ao que ela apreciava admirada com um sorriso e brilho nos olhos, mal escutando as palavras de repreensão dos pais.

O MAR DE SENSAÇÕES

Na minha eterna ocupação de ir e vir, acho que me distraí e só me dei conta de que a menina estava se tornando uma mocinha quando um dia, sem mais nem menos, percebi que ela não usava mais a cadeira para me alimentar. Foi quando me atentei também que a presença na casa daquela senhora elegante e mais velha foi aumentando à medida que a garotinha ia crescendo. Na verdade, ela continuava não permanecendo muito tempo ali, e o homem da casa também não deixava de escapar como sempre pela porta de trás assim que percebia a sua presença.

Contudo, com a garota mais crescida, algumas vezes, quando ela não precisava sair, a senhora, sempre ostentando um penteado impecável, aparecia e a levava. A menina saía com uma mochila nas costas e, apesar de não ser muito bom em calcular com a minha pequena cabeça o tempo decorrido, parecia sumir alguns dias. Mas o que me lembro bem é que ela sempre voltava com uma cor diferente, as faces mais vermelhas, os braços e pernas muito morenos e ostentando um sorriso descansado no rosto.

No entanto, o que mais me marcou nesses períodos de ausência da garota foi a mudança dos sons, cheiros e ritmos da casa.

Tão logo ela saía, os sons de passos, vozes, barulhos de panelas e fragmentos de música que costumeiramente escapavam dos cômodos aos quais eu não tinha acesso eram substituídos a princípio por sussurros, que pouco a pouco ganhavam corpo e se tornavam gemidos longos, até culminarem em gritos que, num primeiro momento, me assustavam e faziam meu pequeno coração palpitar e os meus olhos quase saltarem das órbitas, mas que com o tempo me acostumei, sobretudo porque percebi que não eram de dor, tampouco significavam perigo.

Além de nesses dias minha alimentação se tornar absolutamente irregular, em horários totalmente descompassados e imprevisíveis, quando não raras vezes, escassa, a ordem da natureza parecia ter sido trocada. O dia passava a se chamar noite. E a noite então passava a ser a hora de ficar acordado.

Nessas ocasiões, os dois adultos também pouco se alimentavam, pois não os via à mesa, tampouco sentia aquele costumeiro cheiro convidativo e calmo de tempero que escapava da cozinha e inundava o resto da casa, provocando-me uma embriaguez e a vontade enorme de dormir e sonhar. Nesses dias, eles passavam pela sala sempre com sanduíches feitos com pão francês e um copo pequeno e suado nas mãos, cujo líquido amarelo e espumoso não conseguia identificar. E o cheiro que dominava o ar era forte, áspero, uma mistura indefinida de doce e salgado, ora um se sobrepondo ao outro, que deixava inquieta até minha natureza pacata, fazendo-me ir e vir com surpreendente rapidez, num deslizar elétrico pela água.

Na verdade, naqueles dias não os via muito. Permaneciam mais tempo nas alas internas da casa, mas quando passavam pela sala ou mesmo nas poucas vezes em que nela resolviam se instalar, apresentavam-se sem roupa nenhuma, como se o calor fosse tamanho que as vestimentas tivessem se tornado desnecessárias ou obsoletas.

Além do sofá, a única vez que os vi utilizarem outro objeto da sala causou um enorme alvoroço. Usando o aparador de apoio, atracaram-se com tal violência que derrubaram todos os porta-retratos que nele repousavam.

Mas quando a menina retornava para casa, tudo já estava em sua mais perfeita ordem. Parecia que aqueles dias nunca haviam existido. Chegava a duvidar de que aquilo realmente ocorria na sua ausência. Muitas vezes pensava ter sonhado ou delirado, afinal a falta dela me infligia um sentimento de tal solidão e tristeza que tudo era possível dentro de mim. Recebiam-na com muita animação e demonstrando grande curiosidade, querendo saber tudo o que fizera. Agiam e conversavam normalmente. No entanto, quando se sentavam à mesa para jantar e a menina automaticamente repetia o gesto de levantar os olhos em minha direção, o casal trocava olhares furtivos que traziam consigo as lembranças daqueles dias e denunciavam que eu não fora enganado pela minha imaginação.

O BEIJO PARTIDO

Contudo a frequência desses jantares diminuiu. A garota ficava cada vez menos tempo em casa. Chegava em horários diferentes e não trazia mais às costas uma mochila. Andava agora com uma espécie de bolsa a tiracolo, de onde sempre sacava um caderno grosso e livros de diferentes tamanhos e cores. Estava sempre com pressa e conversava menos com todos, trazendo quase sempre dentro das orelhas um ornamento esquisito do qual pendia um fio branco.

Apesar dessas profundas mudanças e da sua eterna pressa, fazia questão de estar pontualmente no horário de sempre para lançar sobre a água o meu almoço. Ainda que resumidamente e sem o mesmo entusiasmo de outrora, contava o que lhe passara ao longo do dia.

Percebi também que continuava passeando com aquela elegante senhora, que agora se limitava a esperar na porta da casa ou nem mesmo descia do carro, pois não raras foram as vezes em que eu apenas ouvia uma buzina soar um toque diferente e logo a garota surgia na sala, dava um peteleco no vidro que fazia a minha água balançar, acenava com a mão e partia batendo a porta atrás de si.

Outra coisa que permaneceu no tempo, foram as sessões coletivas de filme no sofá. Embora não sofresse mais com obstáculos à minha visão, podendo desfrutar ininterruptamente das imagens que saltavam da tela, pois quase sempre, no começo da projeção, ela escorregava tecido abaixo, indo aninhar-se no chão, entre o vão formado pelas pernas dos dois adultos, apenas com as costas escoradas no sofá, e a cabeça levemente inclinada, ora recebendo no cabelo o carinho de um, ora um afago do outro, ao mesmo tempo uma onda de nostalgia me invadia ao constatar que sentada entre eles, ela não mais se acomodava tão bem.

Não sei exatamente quando comecei a perceber que ela, de tempos em tempos, trazia amigos para a casa.

Os rostos desses meninos e meninas mudavam constantemente: umas de cabelos presos, outras de cabelos soltos; uns ainda imberbes, outros com o semblante pleno de masculinidade e coberto de pelo; umas com cabelos coloridos, outras com cabelos descoloridos; uns trazendo na face marcas de machucados avermelhados, outras com tímidas pinturas ainda incapazes de disfarçar-lhes a pouca idade.

Os adultos sempre os recebiam com cordialidade e travavam com eles conversas amistosas e pontuadas de amenidades. Quando os visitantes se repetiam e tornavam-se presenças habituais, a ponto de serem convidados para jantar, os assuntos ganhavam contornos mais sérios e longos debates podiam ser ouvidos. Temas como religião, economia e política ganhavam a mesa e eram discutidos com animação mesmo entre os mais jovens, cujas opiniões eram recebidas com idêntico respeito às emitidas pelo casal adulto, o que dava um frescor à casa.

Nessas ocasiões, flagrava a mim mesmo surpreso ao me perceber com uma sensação de orgulho maior que a dos pais daquela garota que, ainda pequena, me arrebatara num saco plástico e desde então me alimentava diariamente; sentia orgulho ao observar que ela sabia ouvir e, sobretudo, emitir opiniões sempre tão seguras e sensatas sobre os mais variados temas.

Assistia com tal prazer e curiosidade àqueles jantares que até esquecia de seguir no meu ir e vir constante, permanecendo com a boca colada no vidro, numa espécie de beijo apaixonado.

O encanto só era quebrado quando o excesso de álcool enchia o rio de emoções e inundava as entranhas do pai da menina, que disparava palavras contra aquela senhora elegante que vinha buscá-la frequentemente e com quem ela ainda passava alguns fins de semana, acusando-a de, no passado, tê-lo traído e os abandonado quando ele foi obrigado a deixar o país. A sua voz tornava-se pastosa e alcançava timbres mais altos, que chegavam a ferir meus ouvidos, desgrudando meus pequenos lábios do vidro e partindo o meu beijo. Nem parecia a voz amiga que incentivava os jovens que ali compareciam a expor abertamente as suas opiniões, defendia a liberdade de expressão e o amor livre.

Quando desses rompantes, a mãe da menina limitava-se a levantar e, de modo geral, com a ajuda de alguns garotos assustados, a recolher a mesa; quando muito, dizia apenas que se não fosse sua mãe, não teriam uma casa para morar, o que recrudescia ainda mais a ira do marido, que rebatia com impropérios mais duros, até abandonar definitivamente a sala.

Esses incidentes, contudo, não eram capazes de cessar esses jantares, que, para minha alegria, se repetiam com regularidade, não obstante uma perene sensação de medo passeasse dentro de mim quando uma garrafa de vinho era colocada sobre a mesa.

O TEMPO

O tempo, mais que esses duros desabafos, foi a causa do rareamento dessas reuniões. Aqueles meninos e meninas cresciam mais rápido que as folhas das árvores na primavera, e as obrigações tomavam conta das suas vidas como o meu eterno ir e vir.

Restou apenas um daqueles garotos, agora também já mais crescido, cuja presença se tornou ainda mais assídua. Lembro-me bem dele, posto que, assim como eu, tinha uma postura observadora, dono de olhos negros e perscrutadores, sempre tentando capturar algo além das palavras que as pessoas ali diziam. Embora simpático, era de pouca fala, mas quando emitia opiniões sobre os mais variados assuntos discutidos o fazia com propriedade, arregimentando constantemente seguidores de suas teses.

Agora mais crescido e íntimo da casa, tornara-se mais falante e participativo, conquistando a simpatia e a confiança do casal, além da amizade da garota, com quem tinha longas conversas a sós e chegava a dividir o sofá para sessões de cinema.

Estimava-o também porque ele, acima de tudo, a fazia sorrir com um sorriso igual àquele que ela trazia no rosto quando voltava para casa, subia na cadeira e me contava o seu dia enquanto esparramava comida sobre mim e me observava comer.

Mas meu coração só gelou quando, num daqueles jantares, enquanto os pais se distraíam servindo a salada, colocando água nos copos, assoprando a comida, os percebi, minha menina e aquele garoto, trocando aqueles mesmos olhares furtivos que o casal lançava entre si quando a filha voltava dos fins de semana com a avó depois de os haver deixado sozinhos na casa.

A partir de então uma inquietação tomou conta de mim e o meu ir e vir tornou-se mais constante e frenético que não me dei conta de que ela passou a ficar menos em casa e, quando menos esperava, percebi que a tarefa de me alimentar não era mais exclusividade dela.

Como se eu tivesse braços e alguém os tivesse segurado com mãos fortes e me dado um chacoalhão, isso me fez despertar do transe que eu experimentara e só então voltei a olhar novamente para a sala.

Encontrei a mesa cada vez mais vazia, com a garota quase sempre ausente. Deparei-me com conversas mais tensas dos pais quando o assunto era ela, debatendo com preocupação o pouco zelo com que passara a se ocupar de seus compromissos estudantis e planos de carreira, a sua falta de sensatez, mas que eram substituídas por olhares e palavras carinhosos em sua direção quando ela irrompia porta adentro, geralmente apressada.

Agora, apenas em alguns domingos os quatro se sentavam juntos para almoçar, e as tentativas de aproximação dos pais tornavam a acontecer, quase sempre sem o eco esperado e muitas vezes se deparando com sólidos argumentos contrários àquela sensatez que lhes era exigida, como se um abismo agora separasse os dois casais.

Mais que me deixar estupefato, a percepção de que, mesmo após tanto tempo de convivência e amor, eles não conseguissem compreender e tocar o coração da menina me cobriu de um mau pressentimento.

E ele não tardou a cumprir-se.

Era uma tarde ensolarada de um sábado de verão, igual ao dia em que ela me arrebatara e trouxera para junto de si, quando ela desceu as escadas da casa e pousou as suas malas diante da porta. O casal estava no sofá, vendo o seu habitual filme, e não precisou de palavras para entender o que se passava. O pai, sem levantar-se do sofá, e com aquele tom de voz que eu já conhecia, pois só o usava quando interrompia os meus beijos, passou a censurá-la com um misto de agressividade e ironia. A mãe, por sua vez, de maneira surpreendente, largou a mão do marido, levantou-se, caminhou lentamente até a filha, abraçou-a fortemente, como se fosse a última vez que o fizesse, beijou-lhe o rosto e a testa, sorriu-lhe com alegria sincera, abriu a porta da casa e a ajudou a depositar as malas do lado de fora.

Quando ambas já estavam na parte externa da casa, a menina repentinamente se abaixou e colocou uma das mãos dentro de uma sacola e de seu interior retirou algo. Em seguida, deixou a mãe lá fora e ingressou a passos largos na sala, parando diante de mim. Em vez de pegar uma cadeira, ela agora teve de se abaixar um pouco para me mirar. Olhou-me mais uma vez com aqueles seus grandes e expressivos olhos, que em nada haviam mudado, bateu com a ponta do dedo indicador esquerdo no vidro e, como há muito não fazia, formou um charmoso bico com os lábios, e os abriu e fechou por várias vezes, como se assim pudesse falar a minha língua e lhe fosse possível me fazer um comunicado oficial. Por fim, me jogou um beijo. Só então me dei conta de que lágrimas escorriam por seu rosto. Ela enfim endireitou o corpo e observei que trazia um saco plástico na mão direita, e esta seguiu rapidamente para a parte superior do aquário, onde não havia mais vidro, mas apenas e tão somente o espaço vazio, sem qualquer obstáculo entre a água e o resto do mundo. Meus movimentos não conseguiram acompanhar a rapidez de sua mão e limitei-me apenas a esperar o novo arrebatamento e o sacolejo rua afora. No entanto, fui surpreendido com um banho de água fria em minha cabeça e um abrupto mergulho de algo próximo a mim. Passado o susto, olhei em volta e, com um misto de surpresa e alegria, vi um outro peixe ao meu lado, quase idêntico a mim, indo e vindo, no mesmo ritmo que o meu.

Fiquei tão encantado admirando o seu deslizar, que ao me virar e olhar para a sala, ela já havia fechado a porta atrás de si.

— Memórias de um peixe